世界名著好享读（原版插画典藏版）

南来寒 主编

冰 海 惊 魂

北极探险故事

[美] 普雷斯科特·霍姆斯 著

李宛莹 译

人民东方出版传媒

东方出版社

图书在版编目（CIP）数据

冰海惊魂：北极探险故事/（美）普雷斯科特·霍姆斯著；南来寒主编；李宛莹译.
—北京：东方出版社，2017.4
（世界名著好享读）
ISBN 978-7-5060-9342-2

Ⅰ.①冰… Ⅱ.①普…②南…③李… Ⅲ.①纪实文学–美国–现代 Ⅳ.①I712.55

中国版本图书馆CIP数据核字（2017）第076842号

········· ❧ **冰海惊魂：北极探险故事** ❧ ·········

（BINGHAI JINGHUN：BEIJI TANXIAN GUSHI）

[美]普雷斯科特·霍姆斯 著　南来寒 主编　李宛莹 译

策划编辑：	鲁艳芳
责任编辑：	杨朝霞　周　朋　张　琼
装帧设计：	飞鸟设计
出　　版：	东方出版社
发　　行：	人民东方出版传媒有限公司
地　　址：	北京市东城区东四十条113号
邮政编码：	100007
印　　刷：	北京文昌阁彩色印刷有限责任公司
版　　次：	2017年11月第1版
印　　次：	2017年11月北京第1次印刷
开　　本：	880毫米×1230毫米　1/32
印　　张：	7.625
字　　数：	145千字
书　　号：	ISBN 978-7-5060-9342-2
定　　价：	42.00元
发行电话：	（010）85924663　85924644　85924641

冰海泛舟

休·威洛比爵士

北极熊

玛卡姆正试图征服冰天雪地

帕耶中尉在帕耶峰

安德里的热气球工作间

重寻名著阅读的愉悦和享受

直到现在，我仍然不会忘记小时候读的第一本世界名著——《安徒生童话》。那时候，丑小鸭不同寻常的经历，总是让我心潮澎湃；寻找钟声的王子和穷人家的孩子那份对美好的向往和执着追求，更是让彼时稚嫩的我热血激荡……每一个奇妙曲折的小故事，都会带我走进一个不一样的世界，从那时起，我就开始一本接一本地读起了名著，它们就像是有一种让人难以自拔的魔力。名著里的那些故事，虽来源于我们的生活，但经过大师们的演绎之后，又将一个个我们意想不到的画面呈现在我们面前，充满了无穷的想象力。

童年的阅读经历对我的成长起到了至关重要的作用，所以我想让现在的孩子们像那时的我一样，能够同样获得美妙的阅读体验，将那些充满奇幻色彩和诗情画意的故事一代代传承下去。

然而，犹记得，我孩童时代的名著图书，几乎没有什么插图，封面和装帧设计也乏善可陈。如今的孩子，阅读的可选择面广阔多了，很多时候，阅读变成了老师的作业、父母的安排！如何让当下的孩子们重拾我当年阅读名著时的愉悦和享受，让他们发自内心地去阅读、去探究，成了我念兹在兹的一种理想。

基于这个纯粹而又迫切的初衷，经和东方出版社编辑鲁艳芳女士协商，策划了这套"世界名著好享读"系列图书，将一些真正适合孩子们阅读的名著翻译出版，作为一份迟来的礼物献给孩子们，希望还赶得及填补那一块为名著而预留的阅读空白。

这套"世界名著好享读"丛书，涵盖了童话、寓言、诗歌、小说和历史知识等不同内容和体裁，包含了亲情、自然、探险和历史等不同题材的作品，意在让孩子们获得全方位的阅读体验。一直以来，我都秉承尊重原著的原则，所以这套书的底本均选用了美国长期从事经典名著出版的亨利·阿尔特姆斯出版公司的原版初印权威版本，相信这对于每一个渴望阅读的孩子来说，都将是一场愉悦身心的文学盛宴。

在这套图书中，《安徒生童话》《格林童话》《伊索寓言》这些耳熟能详的童话寓言故事，会让孩子们初识社会，了解人性的善恶、美丑、真伪；《爱丽丝漫游仙境》《爱丽丝镜中奇遇记》《沉睡的国王》将带孩子们一次次进入梦幻之乡，让他们的想象力得到大幅提升；《海角乐园》《冰海惊魂》《哥伦布发现美洲》会携孩子们进入开拓探险的世界，告诉他们什么是坚韧，如何变得更勇敢。至此，请原谅我，将好东西藏在了后面，那就是在这套书中，我将遗失已久、几代人都无缘读到的名著——《穆福太太和她的朋友们》《图茜小姐的使命》《狐狸犬维克的故事》千方百计地寻觅出来，其中所经历的艰辛在此我不加赘述，我只想借由这三本书此次的重磅登场，让孩子们幸运地重新亲近这些顶级的作家和他们的作品。最后，我当然也不会辜负那些喜爱戏剧的孩子，在这样的精神大餐中怎么能缺少戏剧界的旷世奇才——莎翁的作品呢？为了降低阅读难度，我特意选取了英国著名作家查尔斯·兰姆和他姐姐共同改编的《莎士比亚戏剧故事集》，让孩子们可以无障碍地步入莎翁的世界。

好了，喜爱精美插画的孩子们，先别着急，我并没有忘记要满足你们这个合情合理的需求。我深知，优秀的插画除了要有色彩、线条、构图的外在形式美之外，更重要的是要具备作品内容所呈现出的内在意蕴美。"世界名著好享读"系列图书是我从事图书策划工作以来整理的插画量最大的一套书，其中很多种图书的插画量达到一百多幅，更有甚者，《鹅妈妈童谣与童话故事集》的插画量竟达到了近二百幅，堪称名著的绘本版了。此外，为了完美彰显名著的神韵，书中所使用的每一幅插图都经过了细致入微的修复。海量的插画并没有成为文字的"附庸"，这些来自不同画家的手绘插画或者版画丰富了文字的内涵，对孩子们来说也是一种美育熏陶的过程。所以说，这不仅是一场阅读的狂欢，更是一次审美的嘉年华。

接下来，我要做的，只是把孩子们引领到安徒生、莎士比亚、史蒂文森、约翰·班扬、刘易斯·卡罗尔、霍桑……这些大师、巨匠身边，互作介绍以后，就安静地离开，就像钱理群先生说的："让他们——这些代表着辉煌过去的老人和将创造未来的孩子在一起心贴心地谈话。"

那么，孩子们，接下来那些愉悦和享受的阅读时刻，就留给你们了。

稻草人童书馆总编辑　南来寒

二〇一六年八月于广州

· 目 录 ·

专有名词解释

（这些词汇将出现在即将讲述的故事中）

海湾冰或幼冰：水面上新形成的冰源。

映光：大气层中呈现的一种罕见闪光，靠近冰源或是被冰雪覆盖的大陆经常能看到这样的光芒。陆映光呈现出黄色闪光，色彩比冰映光要深。

涌潮：涌入松冰的过程，包括利用航行推进进入松冰，以及通过分割大块冰源迫使船通过。

码头：人工码头是通过使用锯子锯开厚乳冰形成一个四方形空间，用于停泊船只，以保证船只不受视线内正在靠近的大型冰块挤压。若没有人工码头保护，船只有被冰块"夹住"的危险。"码头"在这里是指在类似情况下临时使用的小型停泊处。

冰域：一大片冰域，通常上面有巨大且很厚的冰川，站在桅头上望去看不到冰川的边际。

浮冰：与冰域规模接近，但可以从船的桅头处看到浮冰的范围。"海湾浮冰"是指在水面上新形成的冰流。

一潭水：周围存在小空间范围的清水。

被夹：卡在两块或多块冰之间承受强力挤压。

流冰群：大量一望无际的松冰。

一片冰地：与流冰群类似，但规模较小。

稀疏漂冰：散布在洋面上的大量小体积冰块，船只不需要费很大劲儿就能穿过这些冰块。

冰岬／岬冰：沿冰山或浮冰水平方向从水下突起的大量冰。船只偶尔会与其发生擦碰，或是快速开上冰岬，不过一般风平浪静的时候都能一眼看到这些冰岬，从而绕行。

水照云光：指阴沉灰暗的天空，表明那片天空下有净水；比陆映光和冰映光更显眼。

第一章　北极大陆

看一下地图上的北极地区，在这里，欧洲、亚洲、美洲这三大洲的许多河流都汇入了北冰洋水系。地球上的几条大河，比如，马更些河、育空河、勒拿河、叶尼塞河和鄂毕河，在北极圈内或北极圈附近沿着岛屿流淌。在北极，大片的冰雪掌握着绝对的主宰权。

很难准确地说出北极地区的边界在哪里，因为很多国家或地区坐落在纬度很低的地方，低至北纬60°甚至北纬50°，比如，南格陵兰岛、拉布拉多、阿拉斯加、堪察加半岛①或者贝加尔湖②周边国家。这些地方的气候和地理特点，都体现着北极独特的风貌。有一些更靠北边的地方，像是挪威海岸，甚至在冬天也拥有极其温和的气候，它们自然地形成了差异明显又同时存在的两个主要板块，一边是茂密的森林，一边却是荒芜之地。

这片荒芜之地，是由北极圈之内的岛屿组成的，形状像一

---

① 堪察加半岛位于俄罗斯远东地区，西濒鄂霍次克海，东临太平洋和白令海。——译者注

② 贝加尔湖是世界上容量最大也是最深的淡水湖。——译者注

条不宽不窄的腰带，它的边缘是北极海岸线。这片土地朝南逐渐出现森林区，森林区里常青的松柏树包裹着这片贫瘠的土地。这片无树的地方在北美被称为"不毛之地"或"荒漠"，在西伯利亚被称作"冻原"。为什么这片区域如此贫瘠呢？因为它位处高纬度，又接近极地，更因为寒冷的海风狂虐地刮过海岛以及极地海洋中的沿海地带，迫使最顽强的植物在这冷酷的恶魔面前也只能低下头来瑟瑟发抖。

格陵兰岛的冰峡湾

冬天，动物都迁徙到了南方，或者在洞穴中寻找庇护，这个时候多安静啊，大概没有什么能扰乱这平静了，除了天空中雪鹰的号叫声和狐狸的一声声长嚎——就像在这广阔的土地上宣示主权。春天来临，积雪融化，棕色的大地重新显现，沼泽解冻，野鸟硕大的翅膀又再次伸展开了，这般生动的景象会持续几个月，是一种可敬的天性引导着鸟类兵团从遥远的地方来到北极荒地、沼泽湖泊和河岸。在浅滩或在多鱼的海岸，它们总能找到充足的食物，同时还能修建它们安全的庇护所，养育幼鸟。一些鸟驻足于森林边缘，另外一些继续往北向更深处飞去，在光秃秃的冻原上产下蛋。雕和鹰跟随着游禽^①和涉禽^②的足迹前行；成群结队的雷鸟在低矮的灌木丛中游荡；在阳光灿烂的日子里，雀鸟和雪鸫婉转低鸣。

一到九月，初霜就宣布着冬天的来临，除了少数几种动物之外，其他所有的动物都会加快离开这个会令生命凋零的地方。大雁、野鸭和天鹅都会成群结队地回南方去，涉禽也会在更低纬度的地方寻找柔软的泥土，因为它们可以用自己尖利的喙在泥土中觅食，水鸟们也离开了即将要结冰的海湾和水渠，驯鹿

① 游禽指那些适应在水中取食的鸟类。它们喜欢在水上生活，脚向后伸，趾间有蹼，善于游泳、潜水和在水中捕食，大多数不善于在陆地上行走，但飞翔很快。——编辑注

② 涉禽是指那些适应在沼泽和水边生活的鸟类。它们的腿特别细长，颈和脚趾也较长，适于涉水行走，不适合游泳。——编辑注

也重回了森林。在极短的时间内，再没有留下任何生物足以诱惑人类在这片荒芜之地驻足。很快，厚厚的冰雪就覆盖了坚硬的大地、湖泊和河流，将其冰封整整七八个月甚至九个月的时间，漫长且单调。狂怒的东北风肆虐而过，只留下坚硬的岩石裸露在外。

这场雪覆盖已久，大雪之后，悠悠的夏日来临，大雪完全融化，保护着高纬度的植被免受漫长冬日的破坏。雪不会导热，因此在寒冬过半，在纬度 73°50′ 的位置，也就是伦斯勒湾的地面温度低至 -30℃ 的地方，凯恩发现，地面 2 英尺下温度为 -8℃，4 英尺下为 2℃，8 英尺下为 26℃，顶多比水的结冰点低 6℃，不会再低了。

河面上覆盖着一块块冰，北边的植被在相对温和的气温中度过漫长的冬天，温和到足以维持它们的生命。如果没有这样的温度，冰冻足以让水银在寒冷中变成固体。初雪可比深冬的雪显得更温柔、更疏松，凯恩观察到"刚下的鹅毛般的雪比北极柔弱的植被上覆盖的积雪要柔和很多。"幸好有了这般保护，也幸好在这长达几个月的时间里，有阳光普照在这片土地上。在阳光充足的地方，植物的能量很迅速地被唤醒了，即使是在华盛顿地^①、格林内尔地^②和斯匹次卑尔根

---

① 华盛顿地位于格陵兰岛西北部。——编辑注
② 格林内尔地位于加拿大努纳武特地区最北部的埃尔斯米尔岛，加拿大东部北极地带。——编辑注

岛 ① 都开出了美丽鲜艳的花朵。

北极狐

在宪法角②（北纬80°45′）的地方，莫尔顿摘了一朵十字花科植物的花。在玛丽明特恩河，凯恩跨过一片花海（78°52′），这片花海种类繁多，在沉寂的北极可以说是五彩缤纷。在羊茅草和其他一簇簇的草中点缀着一些紫色的剪秋罗和星星点点的繁缕，如果没有看到这些，他会以为孤独生长的香花荠就是北极壁花的代表。

不停歇的落雪自然而然地沿着北极点蔓延开来，之后许多

① 斯匹次卑尔根岛是挪威所属的岛屿，靠近北极。——译者注
② 宪法角位于格陵兰岛西北部。——编辑注

多山地区和因地壳运动被抬高的高原，例如，斯匹次卑尔根岛内地、格陵兰岛内地、新地岛①内地等，气候温和，长满树木和草地。被大片冰雪覆盖的地方，会经常有冰川向着大海滑去。但即使是在最北边，或者在冬日植被稀少的地方也没有土地终日被雪覆盖。

风力的大小也直接决定着北极气候是否恶劣，北风在夏天横扫巴芬湾和戴维斯海峡，使美洲东北部的群岛结上冰，这些可能都是在这个季节气候恶劣的原因。相反，南风在夏天刮过马更些河谷很可能有利于北极海岸的森林生长。即使是在西伯利亚的冬天，风力的突然改变都可以使温度计上的指示数字变化极大，从能使水银都凝固的温度上升到水的凝固点。在一月份的斯匹次卑尔根岛，温暖的风可以带来雨水。

凯恩和贝尔彻长途跋涉，让我们了解到有史以来人类能感知到的最低温度。1854 年 2 月 5 日，在一个叫史密斯海峡（北纬 78°37′）的地方，凯恩缓慢前行，他用最好的酒精温度计测量出越冬时节的平均温度，告诉我们他经历了史无前例的极寒气温——周遭的温度已低至 -68℃，甚至 -100℃，呼出的气都成了一圈水蒸气暴露在空气中。吸气能感觉到空气凛冽如刀，每个人都紧闭嘴唇，不敢肆意呼吸。大约与此同时，1854 年 2 月 9 日和 10 日，爱德华·贝尔彻在惠灵顿海峡（北纬 75°31′）

---

① 新地岛属于俄罗斯的岛屿，位于北冰洋，由南、北两个大岛组成。——译者注

经历了 –55℃的气温。1853 年 1 月 13 日，他在诺森伯兰海峡（北纬 76°52′）经历过更低的温度——–62℃。1866 年 12 月 6 日，温珀在阿拉斯加努拉多（北纬 64°42′）经历了 –58℃的低温。

格陵兰岛卡帕洛克斯提里克的村庄与冰河

是否越往极地，温度越低？在北部山多的地方，气候是否会温和很多呢？这些问题当时还尚未去探究和解决。当然，也有很多是确定了的事实：冬天，对北极地区的发现都还很有限，直到 19 世纪 90 年代，人们在那里持续停留的时间都还太过短暂，所收集的数据远不足以让我们确定哪个地方才是最冷的。我们所能了解的是北极圈外纬度朝南 8°—10°，在亚洲和美洲境内，平均温度在 -20℃ —— -30℃ 之间，或者更低。在一年的绝大多数时间中，那里的温度都可以将水银冻成固体。

可能有人会有这样的疑问：人类是怎样承受北极冬天如此低的温度的呢？生活在温暖地方的人无法想象吧。穿厚重的毛皮衣服，住小且低矮的小屋，屋里生起火，或者仅仅有一盏油灯，灯光充盈着整个狭小的空间，最重要的是，人体构造的神奇力量能让其适应每一次天气变化，用自身的能量来对抗寒冷。

几天之后，身体会产生热量来应对气温的下降，因为极地气压高，每一口吸入的空气都含有大量氧气，可以加速体内热量的生成，同时也增加了食欲。大量的动物类食物、肉、脂肪使血液中的营养更丰富，血液循环更有活力。因此，不仅仅是在北方艰难生活的当地人，就算是健康的旅行者也会很快适应这样的环境，而不会被北极冬天的严寒冻坏。

凯恩说："这是神秘的补偿，在这里，我们对天气的适应比在热带更令人印象深刻。在极地受到的气候影响是立刻显现的，寒冷的伤害是立竿见影的，不像在热带国家，伤害是循序渐进的。只需要一个冬天，寒冷就能逼得人适应那里的气候，学会怎样产热。比如，彼得森在乌佩纳维克居住了两年，很少进入有火的屋子。另外一个是我们的成员乔治·赖利，他精力旺盛，喜欢户外活动，性格随性活泼，这些都有助于他面对寒冷。在我们的雪橇旅行中，户外 -30℃ 时，他除了穿着衣服，睡觉都不盖被子，也不用搭一条毛毯。"

多项事实表明，地球的北部曾经有过温和的气候，麦克卢尔滑雪俱乐部在班克斯岛上发现了木头化石，还发现了一些石化的橡子和冷杉球果。在北格陵兰岛阿纳克尔杜克（北纬 70°），有一片宽广的森林在冰川环绕的山上掩藏着，森林在海拔 1080 英尺[①]以上，不仅树干、树枝，连树叶、果实和种子也都被保留在泥土里。正因如此，植物学家才能准确地给这些植物分类。

女式服装

[①] 1 英尺 = 0.3048 米。——译者注

　　这些发现说明，在中新世时期，除了冷杉、红杉之外，橡树、车前草、榆树、木兰和月桂在瑞士现在所在地的气候环境下长势良好，而如今，这里呈现柳树成荫的景象。在同一地质年代，斯匹次卑尔根岛也有着非常茂盛的森林，瑞士自然学家在贝尔海峡（北纬76°）也发现了杨树和落羽杉的化石，这两种植物在当年北格陵兰岛上非常茂盛。他还在北纬78°和北纬79°的国王海湾发现了车前草和椴树。这些足以表明，当时斯匹次卑尔根岛不比现代的瑞典南部和挪威更冷，温度已接近18℃。

男式服装

在中新世时期，北极地区明显呈现出和现在很不一样的一面——青翠的土地，上面覆盖着茂密的森林，被广阔的海洋环绕着。现在这里大部分时间是大片的冰川雪原，随着冰山移动、冰块漂流，使远在南方的国家气温降低。

是什么原因造成了气候的变化呢？我们已知的答案是——海洋和陆地的分布。

我们现在了解到太阳系中的星体是如何运转的：行星和各种卫星以太阳为中心，沿圆形轨迹绕行。就这样，众星体绕着另一颗星运行亿万年，周而复始。地球飞速公转，将生活在地球上的人类送往从未触及的空间领域。经过无数个世纪的交替，太阳引导行星群进入更加孤独和寒冷的地区。终于，冰川时代来临，曾经温暖的第三纪中新世不得不退位让道。在这段时期内，就连瑞士平原都显露出北极地区的特点。后来，太阳照耀在这一片温度适宜的空间里，气温不冷也不热，逐渐形成了我们现在所居星球的环境。

大自然朝着两极前进，庄严肃穆，越是靠近两极，自然之美越能得以体现。没有什么能够超越北极日落的壮观，它给积雪的山脉和天空洒满了光辉。夜晚繁星满天，月亮高挂，让日落更多了一些庄严的美，太阳将它的光环环绕着地平线，不停歇地散发光芒。白茫茫的大地和透明的大气层都为它的美增光添彩，引领着当地人开启他们的游牧生活，引导他们走向捕猎场。

极光（霍尔绘）

在驱散北极冬天单调阴郁的所有壮观场面中，没有什么能够与神秘而魔幻的极光相媲美。极光有时可以停留好几个小时，在达到最耀眼之前，来来回回地上下起伏着散发光芒。这些光束有时候一束束单独出现，有时候同时以地平线为起点从相反的方向散发，形成一片光的海洋，不断地变幻着。最后它们汇到一起，华丽变身，光彩照人，无与伦比。

极光的光束，最下面一般都是红色，中间为绿色，顶端呈黄色，光束慢慢变宽变亮。极光飞快地闪耀着，极为活跃，颜色亮丽却出奇透亮，在万籁俱寂的夜晚更显神秘。

渐渐地，光环褪去，光线变淡，光束变短，频率变低，极光逐渐显得不那么活跃了。到最后，冬天阴郁的气氛又重新回到这片北方荒地。

北极区是最大也是最重要的区域，等待着我们一代代人去发掘，正如弗罗比舍300年前所说的，这是"世界留给我们唯一未完成的大事"。

北冰洋的大部分地区还未被开发，然而这些区域几乎每年都在自然环境变化的影响下渐渐缩小。尽管有众多杰出的航海家曾试图揭开北极之谜，但这些努力都是徒劳的，而那些乐观的探险项目筹划人仍然渴望达到这个目标。当然，人们也不可能放弃努力，直到北冰洋的每一个地区都得到充分的开发。

可能有人会问，这些航行的目的到底是什么呢？我们进行这些尝试是为了获取更多的知识。探险家为了推动天文学、导航、水文、气象，包括电和磁等每一个领域的进步，进行着持续观察，同时累积各种自然现象的有关知识——简而言之，不能失去任何可获取新的和发现重要信息的机会。有人认为这些航行给官员和探险者在和平时期提供了就业机会，使他们有超拔的地位，这对从事其他职业的人来说不公平。什么是对的？这个问题很容易回答，即培根所说的"知识就是力量"。

在英国皇家地理学会会议上，队长谢拉德·奥斯本说：

"从1818年巴芬的发现，到贝林在马更些和赫恩河口点的其他发现，那些被我们准确地圈定在北极版图里的区域，就是我们如今所知的陆地和水域迷宫。水手和旅行者在36年的时间里完成了这一切；这些并不是都能被轻易地记录下来，在船只维护良好的情况下，航行能迅速从一点到另一点，但大部分时间，都是通过耐心的徒步跋涉，或驾驶轮船沿着每个海湾和峡湾航行。利奥波德·麦克林托克估计，仅富兰克林一人就完成了约40000英里的徒步探险。在这36年里轮船、船舶和雪橇事业达到登峰造极的状态。英格兰在连续的42次探险中，仅牺牲了一支128人的探险队，在北极圈约100次的雪橇探险中，从未失去过一支雪橇队。这些探险，向我们展示着地球上如此多的新发现。虽然历史上所有的成就都是艰巨的，甚至会有人因此而献出生命，但我必须承认，北极探险需要付出的艰苦超过了其他所有探险。

"那些宣称我们的劳动和研究仅仅是为了在我们的航海图

上延长数英里海岸线，拓宽版图，认为这些工作无利可图的人，最好把我们今天对北极现象的认识与一个世纪前人类的知识进行比较——与1800年时人们对北极地区的动植物、天气和气候的认识相比。他们必须记住，我们是在那里得到了线索，揭开了大海中的'河流'——墨西哥湾暖流和寒流的规律。他们必须记住，是在布西亚半岛，两位罗斯先生第一次发现了磁极，那个指南针离奇地猛打转，以北半球极点为准刚好转了半圈——让世界来证明，我们的探险家收集的有关磁极的各方面的观察资料，有没有增加我们对磁偏角和倾角定律的认识？人们应该记得若干年前的一场大辩论——人类是否可以战胜极地冬季的严酷和黑暗而生存。我们到了最近才发现，人们到达了连上帝都尚未到达的高纬度地区，在这里，不论是冬季还是夏季，同样有动物生存。所有这一切，甚至还有更多，都应该让那些愤世嫉俗的人牢记在心——那些人让人们错误地认为我们的努力是徒劳的。引用已故上将比奇的话来说，'每次北极航行，都是为了揭开笼罩在北极地区的神秘面纱。在那些航行之前，一切都是黑暗和恐怖的，所有超出北角①的范围都是一片空白。但是，从那时起，每一次航行都扫走了一些阴暗的迷信，揭开了一些新的现象，并给人类带来了知识的进步'"。

纽约的亨利·格林内尔在回答一个类似问题的时候，列举

---

① 北角是在挪威北方的一个海岬。——译者注

了探索北极给商贸带来的一些巨大影响：

1. 汉弗莱·吉尔伯特的发现对纽芬兰鳕鱼渔业的影响。

2. 戴维斯的发现对西格陵兰岛捕鲸业的影响。

3. 哈得孙的发现对哈得孙湾和大型皮毛公司产业经营的影响。（哈得孙是北河的发现者和探索者；北河是他在北极航行时发现的，现在以他的名字命名。）

4. 约翰·罗斯的发现对巴芬湾北部和西北部捕鲸业的影响。

5. 帕里船长的发现对兰开斯特海峡、巴罗海峡和摄政王湾捕鲸业的影响。

6. 比齐上将的发现对白令海峡捕鲸业的影响。两年间人们从白令海峡的楠塔基特和新贝德福德捕鲸活动中，获得的收入已经达到了八百万美元。

本书的目的就是要让人们了解早期航海家的故事，讲述近代不同民族的冒险家们在穿越"未知和难以靠近"的地域时所作出的伟大努力。告诉读者，人到底能有多顽强的意志和不屈的精神。我们无法把每个航海家的故事都——详述，所以选了一些最值得关注的航海家，将他们的故事呈现给读者。

第二章　卡博茨到巴芬岛的航海探险

　　早在 1492 年哥伦布从帕罗斯港开始那改变了世界地理格局的环球航行之前，斯堪的纳维亚人[①]就已经发现了抵达北美洲的路线。他们在 9 世纪时就已知道格陵兰岛这个地方，并于 985 年将那里开拓为殖民地。他们通过格陵兰岛，航行至更远的西部，并且逐渐从拉布拉多海岸、新斯科舍、纽芬兰等地的海岸，探索到现在的罗得岛。在罗得岛，他们发现了大量生长茂盛的野葡萄藤，所以他们管这个地方叫"宜人的文兰"[②]。

　　但是在 14 世纪末左右，一系列灾难摧毁了他们在格陵兰岛的殖民地。由于斯堪的纳维亚民族本身也很少与欧洲南部的其他文明国家进行交流，所以尽管有贡比约恩和红发埃里克等人的探险，但这个曾经在欧洲大陆西部盛极一时的民族在很长时间内都不为世人所知。

---

　　① 斯堪的纳维亚在地理上是指斯堪的纳维亚半岛，包括挪威和瑞典，文化与政治上则包含丹麦。——译者注

　　② 文兰是1000年左右由莱弗·埃克里松在北美发现的一片森林地区，位置大概是在加拿大东部或东北部沿大西洋一带。《北欧英雄传奇》中记载了维金人到文兰的故事。1963 年在纽芬兰最北端的草原湾发现古斯堪的纳维亚人定居点遗迹。——译者注

10 世纪的挪威船只

哥伦布航行最重要的成果之一就是发现了北美洲。由于当时教皇把与印度来往的两条路线中的东线分配给了葡萄牙人，西线分配给了西班牙人，而英国商人也想插足与印度之间的往来贸易，所以英国人决心查明，在欧洲的西北方向是否可以发现一条更短更便捷的通往香料之岛印度或者是东方黄金之地的新路线。怀着这样的新追求，1497 年，约翰和塞巴斯蒂安·卡伯特从当时英国最主要的商业港口布里斯托尔港①起航，他们发

---

① 布里斯托尔是英国西部的港口城市。——译者注

现了美洲从拉布拉多到弗吉尼亚的全部海岸。从他们最初的使命来看，他们确实失败了。但是他们奠定了将来繁荣的殖民国家英国在殖民方面的首要基础。

在发现了美洲之后，卡伯特好像就立刻返回了英国，因为我们在亨利七世的私人账目中发现了如下项目：

"1497年8月10日，付给他发现新岛屿的费用10英镑。"

我们可以将此作为证据，来证明北美大陆的一部分早在哥伦布探索美洲南部的四个月前，就已经被一艘英国船只捷足先登了。

塞巴斯蒂安·卡伯特

1498 年，由塞巴斯蒂安·卡伯特独自进行的第二次航行则没有获得什么重要的突破。但可以肯定的是，在 1516（或1517）年由他率领的亨利八世资助的第三次航行中，这位杰出的航海家发现了两处新海峡，而这两处新海峡现在就以戴维斯和哈得孙的名字命名。第三次航行的失败是由于一次船员暴动——副舰长托马斯·珀特爵士对此十分害怕，所以卡伯特不得不早早打道回府。

此后的几年间，英国没有再向北作出新的航线探索。但那个时期英国最大的海上对手葡萄牙并没有像英国那样故步自封，葡萄牙去探索了像亚洲这样能带来荣誉和丰厚报酬的土地。葡萄牙人达·伽马发现了经由非洲大陆去往亚洲的一段新航线。这大大鼓舞了当时人经由欧洲大陆或北美大陆去往亚洲的信心。于是，1500 年，带着追寻塞巴斯蒂安·卡伯特的成果的意图，加斯帕尔·科特里尔自费派出两艘船，从葡萄牙首都里斯本出发了。

他停靠在了亚速尔群岛，随后跟随航线的指引，到达了拉布拉多。然后他继续向北探索了 600 英里。在 1501 年 10 月 9 日，也就是科特里尔从北部航行归来后的第 11 天，有一封信中写道："10 月 8 日，一艘由科特里尔指挥的快帆船抵达此处，发现在此处往西偏西北 2000 英里远有一个迄今未知的国家。他们航行了600 英里，还是没有到达它的边界，因此得出如下结论：该处是与另一个区域相连的大陆。而另一个区域是去年在北方发现的，但当时由于有大量的冰雪，所以船舶无法抵达。他们所发现的大量大型河流证实了此处是大陆的这种猜想，因为岛屿上是不会有大江大河的。据他们说，这个国家人口很稠密，居民房屋由木头搭建，并覆盖着鱼皮。他们从那里带回了 57 名居民，其中包括成年男性、女性和儿童。"

他们的肤色、身材、身高及面貌都被记录了下来。据说，他们"胳膊、腿和肩膀很发达，很能干活，是我见过最好的奴隶"。

令人欣慰的是，他们对于那个处在冰冻的北方国家的初次探索本来可以说是十分成功的。但是他们还是不满足，继续发动侵略。侵略的动机或许既卑鄙又无耻，但同时也给他们带来了巨大的利益。二十年前，南非黑人就被作为一种商品贩卖。

鉴于这个国家有丰富的自然财富，所以葡萄牙国王急切地开始了开采矿物的工程，而这个工程的源头就是殖民并贩卖黑奴这个野蛮建议。

第二年，科特里尔在第二次航行时带领两艘航船离开了大部队。有描述称，他进入了一个海峡（也许就是哈得孙海峡），但是遭遇了暴风雨，他和伙伴失散了，然后便音讯全无。当有关这场灾难的消息传到葡萄牙的时候，他的弟弟立刻动身去救援他，也再没能回来。这两条生命永远淹没在了深海中。

1524 年，法国首次展开了北极探险。同年，受弗朗西斯一世的指派，四艘装备完善的船交给了韦拉扎诺指挥。韦拉扎诺是佛罗伦萨人，曾经沿美洲海岸线从北纬 34° 航行到北纬 50°，航行了 2100 英里，驶过了现在美国的全部海岸线和北美洲属于不列颠地盘中的一大部分。韦拉扎诺与当地人进行了频繁会面，并且高度赞扬了他们。人们认为他可能最先是从现在美国佐治亚州的萨瓦纳登陆的。在探索北方的进程中，他记录下了与当地人交往的经过。他曾碰到过一个族群，他们性格暴躁倔强，意志消沉，而他也遇到过其他性格温和的族群。他提到过，在海岸线附近有一个由30个被狭窄海峡隔开的岛屿构成的群岛，而这一描述恰恰符合如今缅因州的佩诺布斯科特海湾的特点。他曾一度想航行至北纬50°，挑战这个目标失败之后，就坐船去了法国，并在1524年7月8日安全抵达法国。

韦拉扎诺

就在法国初次尝试探索北方的同年，一支由戈麦斯带领的探险队从西班牙出发，期望找到抵达摩鹿加群岛①的北方的捷径。戈麦斯似乎是到达了北纬40°，却并没有获得什么重大的发现。在航行了十个月后，他们返回了西班牙。

十年之后，法国又一次开始了他们对于北方的探险。雅克·卡蒂亚于1534年4月20日带领两艘船开始了航行，他好像对纽芬兰半岛进行了环岛航行，还在圣劳伦斯湾航行了一段时间，而且他是第一个在此处进行航海的欧洲人。但是由于季节太早，而他也认为最好还是为下一次更充分、更全面的航行

雅克·卡蒂亚

① 摩鹿加群岛是今印度尼西亚东北部的马鲁古群岛。——译者注

保留实力，所以在 1534 年 9 月 5 日，他经由曾经穿越过的位于贝尔岛和圣马洛城^①之间的海峡，返回法国。

1535 年 5 月 19 日，雅克·卡蒂亚带领三艘船开始航行。启程后，这三艘船在一场风暴中失散，直到 7 月 26 日，他们在前往他曾到过的大海湾进行考察时才又聚到一起。卡蒂亚说道："无论你喜欢吹哪种风，你想拥有怎样的一个岛屿，或是你想比别人迈得更远，这个充满了海岛、航线和港口的海湾对你来说都是再合适不过的了。"

人们把这个岛屿命名为阿桑普申岛。卡蒂亚把此处与拉布拉多海岸之间的海峡命名为圣劳伦斯海峡。而此后，这里的

蒙特利尔

---

① 圣马洛城是法国西北部港市，疗养胜地。——译者注

整个海湾都被命名为圣劳伦斯湾。法国人在印第安原住民城市奥雪来嘉附近的一个河岸处登陆了，他们受到了原住民的热情招待。自从蒙特利尔的社会走向堕落，奥雪来嘉被后人称为皇家山。这一发现意义非凡，但是人们总是对这些美洲国家抱有偏见，他们认为那些地方若是不能生产黄金和白银，简直是不毛之地。四年以来，法国君主始终未采纳建立美洲殖民地的提议。

我们已经知道，在最初几年，法国并未抓住卡蒂亚第二次航行所带来的良好势头乘胜追击。在另一次民间探险之后，他们才开始了下一次的尝试。让-德·罗克、罗贝瓦勒阁下，获

纽芬兰圣约翰海港

准在法国定居，并且成了驻加拿大、奥雪来嘉、萨格奈①、纽芬兰、贝尔岛、拉布拉多和大海湾等地的总督。这些地方要是说应该给谁的话，就理应是给卡蒂亚的，但卡蒂亚仅仅得到了一个下属的职位，还得带着五艘船继续出行。卡蒂亚这次得到了不同的对待。印第安人用尽一切办法试图阻挠法国人的统治，而法国人为了防御，不得不在现在魁北克的地方建立一个堡垒。

科特里尔的航行就是一个不好的例子。尝试奴役印第安人，把印第安人变成白种人奴隶的行为是在破坏人道主义和打破友好关系的纽带。西半球逃过了这令人发指的人口贩卖运动，在东部编年史上也记载了这一劣行，可以算是对这种邪恶行为的报复了。

魁北克

---

① 萨格奈是加拿大的一个城市，位于魁北克省中部。——译者注

像北美洲土著人抵抗这些欧洲强盗时一样，印第安人的强烈抵抗也很有可能重击欧洲人掠人掠地的投机买卖。在未来的某个时期，也有人像此时这些欧洲人一样重蹈覆辙，轻率地对美洲进行入侵，这必定是不争的事实。卡蒂亚忌妒心作祟，狠心背弃了罗贝瓦勒，这一举动给了殖民事业一个致命的打击。

1549 年，罗贝瓦勒和他的兄弟对一个印第安人居住点发起进攻，而后音讯全无。

印第安人首领

1549 年，塞巴斯蒂安·卡伯特被封为英格兰大航海家。他在晚年又有了一个新想法，这个新想法就像探索一条去往中国的东北航线一样，是北极探险史中十分重要的一步。与此同时，

休·威洛比爵士

1553 年，一个由三艘小船组成的船队装满了物资出航，整个航行中的宝贵经验证实准备充分再起航是非常有必要的。船的龙骨上还覆盖上了薄膜作为进一步的保护措施。这种薄膜是有史以来英国所投入使用的第一种防护膜，远早于西班牙的同类应用。

出航命令被委托给了休·威洛比爵士，他是"一位十分英武的绅士"，却可能不是个好水手。他与理查德·钱塞勒和史蒂芬·伯勒想绕过亚洲北部，航行至印度。而当时，人们对亚洲的地理情况和广阔程度一无所知。

在一个位于挪威海岸纬度 69.5° 的塞尼亚岛上，这些船只在一个暴风雨之夜离开了船队，之后就再也没出现过。威洛比爵士到达了新地岛的海岸，最后在拉普兰的一个港口处找到了白海的海湾。第二年，一些俄罗斯渔夫确定，就在这里，船上的军官和船员们都因受冻而惨死。我们不知道他们在这样严酷的环境下坚持了多久，但是在船上发现的一本日记显示，威洛比爵士和船上的大多数人都至少活到了 1554 年 1 月。"70 个人"要么是被饿死的，要么是被冻死的。这两艘船后来被找到了，其中的遗体被运往英国。但是在途中，运送船只"同那些遗体一起沉入了海底，那些死去的水手也随船只永眠海底"。

他们成了缺乏经验的牺牲品，他们"学会了打猎和着装，还有在初冬采取预防措施，收集一些泥炭来做燃料。而且最重要的是，他们养了很多海豹，让海豹在海里跟着他们游。这些海豹或许可以保住他们的生命，让他们度过漫长的冬天"。

而钱塞勒在遭遇了长期的暴风雪天气之后，或许是由于运气好，又或许是他能力强，他最终抵达了白海中的圣尼古拉斯。此后，他经由陆地，长途跋涉来到莫斯科，将国书递交到了沙皇手中。他也因此为组建探险队的公司争取到各种考察特权。

1554 年，他回到英国，不久之后又被玛丽女王遣派到俄国，去商议一项两国之间的贸易协定。为了完成使命，他随一名莫斯科使臣从白海起航。对于钱塞勒来说，这趟旅途极为不幸。从挪威海岸出来时，他丢掉了两艘船。随后，他们被猛烈的暴风雨吹进了苏格兰的皮茨莱戈湾。在那里，他乘坐的那艘船失事了。他拼了命地救自己和那位大使，但是船沉了。尽管俄国大使被安全救到了海岸，但是钱塞勒在逃脱了北冰洋那么多的危险之后，还是被淹没在了从他故乡都能看得到的海洋里。

1556 年，莫斯科公司受史蒂芬·伯勒之命，装备了一艘小型桅杆船，从鄂毕河驶出航海，开始了对东北航线的进一步探索。史蒂芬·伯勒就是钱塞勒第一次航行时的船长。这艘船穿过了新地岛和瓦伊加奇岛之间的一处海峡，这里被俄国人称作喀拉海峡。但是海水中漂浮着的巨大冰块使得他们不得不返航。

尽管这些事让人失望，但是欧洲人实在太想发现一条去往印度的新航线了，他们根本不可能放弃。

在伊丽莎白女王时代，西北航线的问题再次复兴。马丁·弗罗比舍 15 年来一直游说商人和贵族集资，意图完成"世界上唯一未尽的伟大事业"。1576 年，他带领三艘吨位分别是

35 吨、30 吨和 10 吨的小型船出航。然而他的差事却比环北美航行还要重要。你可能会对他这种螳臂当车的行为感到好笑，但是你不得不佩服这样一个对自己都铁石心肠的人，竟然敢驾着这么几艘像果壳一般的小船去对抗浩瀚的北冰洋。

事实证明，这种小船在北冰洋探险中往往比大吨位的船更好用，但那时人们还并不知道这点。船队安全地到达了格陵兰岛和拉布拉多海岸，并从那里带了些闪闪发光的石头回英国，这些石头的光泽让人错误地以为它们是黄金。这种错误的认识极大地刺激了人们到"梅卡因柯尼卡"（弗罗比舍就是这么命名他发现的这处海岸的）探险的热情。他发现，要装备三艘更大的船并不难。他还相信，他们可以发掘比预期多得多的财富。

马丁·弗罗比舍

如今，这个海港入口依旧以他的名字命名——弗罗比舍港，那里正处于风口，加上海面漂浮的浮冰，给出航的船只造成了层层阻碍，弗罗比舍的船只艰难地辟出一条航道，驶出大海。但是由于他们拥有 200 吨"黄金"矿石，人们依然认为这次探险是十分成功的。

特殊委员们（那群专门做重大判决、欣赏伟大的艺术作品和表演的绅士）被女王陛下指派，"深入探究这些矿石的有关事宜"，然而得出的结论是：这些矿石仅仅是普通的云母砂。但是委员们还是做了一个包含利好信息的报告。这个报告既是关于这些矿石，也是关于通往印度的航线的，尽管人们并不知道这份报告是基于什么证据得出的——这些人的鉴定工作全程都是秘密进行的。于是，1578 年，一个由 15 艘船组成的海军中队满载装备，开始了第三次航行。这个舰队的任务不仅仅是带回数不清的财宝，还要用船上携带的工具，在美洲荒凉的海岸上建立殖民地。

这次被赋予了如此多奢望的远征，最后还是让人们失望了。一艘最大的船在海峡入口处被浮冰撞破了，其他的船也受到了暴风雨和海雾的阻碍，虽然他们没有对地理探险作出任何贡献，但他们还是很高兴地回到了英国。与此同时，人们终于相信那些闪闪发亮的石头是一文不值的，所以弗罗比舍放弃了进一步在北方碰运气，而是产生了一个新想法，那就是看看能不能在一个阳光明媚的新版图上寻求新的荣誉。他陪同德雷克去了西印度群岛，在那里，他指挥一艘巨舰对抗西班牙无敌舰队。与联盟作战时，他们高举法国亨利四世的旗帜攻击了一座法国建造的城堡。就在这场战役中，弗罗比舍不幸地结束了自己英勇的一生。

然而，对西北通道的探索依然是当时最重要的事业。因此，在弗罗比舍遭遇不幸的七年后，也就是 1585 年，许多英国商人又一次"投身到探险之中"。这次他们选中了拥有两艘船的约翰·戴维斯，这两艘船分别叫"日光号"和"月光号"，这次他带上了更多的必要设备，包括一个乐队，用于"鼓舞和重建人性的精神"。戴维斯抵达了能看得到格陵兰岛西南海岸的地方。在那里，他看到了一座高山（苏克托彭山），像银锥一般，从笼罩这片阴暗海岸的浓雾中扎了出来。这些人很高兴能从这种阴暗的场景中走出来，并驾船通过西北方的开放水域。而就在此处，8 月 6 日，他们在北纬 66°40′ 发现了陆地，终于"摆脱了浮冰，找到了广阔的陆地"。他们与当地的爱斯基摩人建立了友好的关系，并展开了大量的交流。当这些原住民和这些陌生的来客成为交战双方的时候，这些头脑简单的原住民才终于知道，原来当初他们那么急于帮助这些人而送给他们兽皮衣物，只换来了这些人的子弹和刀枪。在此之后剩下的人力和物力，就被用在探索坎伯兰湾以及弗罗比舍海峡和哈得孙海峡入口上了。

戴维斯找到了通往西方的开放通道，这一发现使得人们再次对探索事业斩获最终成功保持希望。次年，戴维斯再次启用"日光号"和"月光号"进行了第二次航海。1586 年 6 月 29 日，他从格陵兰岛北纬64°处登陆，随后又向西方航行。而在这一年的夏季，海面上都漂浮着浮冰，使他难以前行。有些日子他从这些浮冰之间航行，而当海上有雾的时候，船上的绳索和帆布很容易就冻上了。那些觉得渡过海峡无望的船员警告戴维斯说，"他的鲁莽可能会让他的妻子变成寡妇，他的孩子变成孤儿。然后他们将恶毒地诅咒他"。受到这些话的触动，戴维斯最终下令，带着两艘船返程。

8月1日，他在西经70°，北纬66°33′处发现了陆地。而他在这里被别的船只抛下了，不得不独自航行。9月4日，在北纬54°处，他写道："希望找到新的通道，发现在两片西方土地中间的海域。"而在此之后，由于天气恶劣，他谨慎地认为这该是归航的时候了。

1587年6月15日，他又去往格陵兰海岸。这一次，他乘坐的依然是"日光号"，还多了"伊丽莎白号"和一艘中型艇为他护航。这次航海装备花费的条件很明确：在合适的时候通过捕鱼，适当缩减开支。这两艘船只驻扎在一处他们曾经去过的海岸并进行捕鱼，而戴维斯独自驾着一艘破烂的小船前进探险。他在格陵兰海岸中航行到了北纬72°，已经相当于进入了巴芬湾。他把他抵达的这个地方命名为"桑德森的希望"，以纪念他最大的资助人。然后他转向西方航行，随后，他又一次陷入了之前困了他一年的那处冰山区。

然而，时间和毅力帮他克服了所有的障碍。7月19日，他绕到了以他名字命名的海峡的另一边。然后他在坎伯兰海峡航行了两天。人们将会永远记得，这是他第一次探险中所发现的海峡。但是由于他相信这处海峡是一个密闭的海湾，所以他决定返航。他又一次进入了哈得孙湾，却没有怎么努力地去调查此处。他向与两艘捕鲸船会合的地点航行，后来在海上碰到了那两艘捕鲸船，当时他们正往英国返航。他发现自己的伙伴已经起航独自返回英国，并把他抛在海上自生自灭，这让他感到十分震惊。然而，他最终还是安全地回到了故乡。

"日光号"和"月光号"

这是这位伟大的探险家所进行的最后一次北极探险，因为他已经第三次对这个国家的冷漠感到心灰意冷了，而且他在申请第四次远征的过程中所耗费的所有热情都没有结果。就在此时，西班牙无敌舰队的入侵计划暂告一段落。

他随后对东印度群岛进行了第五次航行，但在探索马六甲海峡时于 1605 年 12 月 27 日死在了与马来人的战争中。

在距戴维斯最后一次航行的七年后，荷兰人首次进行了北方探险，那时他们刚刚成功地摆脱了西班牙的控制。由于海上贸易的发展，他们正急于获得在周边国家中的更高地位，而他们的狭小领土似乎使他们处于很不利的地位。当时，所有已知的通往财富的西方通道都是由葡萄牙和西班牙所把持的。但是如果幸运的话，他们或许可以找到通往印度的北方航线，这样他们也就能从事这一最赚钱的贸易了。

受到这个想法的驱使，1594 年，阿姆斯特丹的一些商人派出了一支探险队，往东北方进行航线探索。他们把这个使命托付给科尼利厄斯·科内里祖恩、布兰特·雅斯布拉特祖恩和当时最有经验的水手威廉·巴伦支。这三艘船于 6 月 6 日从泰瑟尔出发，在拉普兰①海岸分成两队。巴伦支大胆地选择从新地岛西侧航行至最北端；而他不喜欢冒险的同伴们则选择沿着俄罗斯海岸航行至一个海峡，并将此处命名为"瓦伊加奇海峡"，或者叫"风洞海峡"。

---

① 拉普兰是斯堪的纳维亚半岛的最北端地区。——译者注

巴伦支的屋子

　　在北冰洋边缘海喀拉海的海口处，他们强行通过几乎堵住了海面的冰块，当他们在绕过海峡另一端的一个海角时，看到了一片广阔的蓝色海洋，一望无际，而大陆向东南方延伸。他们认为到达了著名的塔宾角——一个神话般的岬角。根据普林尼（当时的权威作家，但对地理方面一无所知）的记载，此处位于亚洲的东北部，从此处驶向东亚和南亚就应该十分容易了。而布兰特和科尼利厄斯没有想到，北极圈内的亚洲海岸向东延伸了不止 120°。由于他们完全相信自己的错误想象，并开始了全面航行，渴望着把他们成功的消息带给荷兰同胞。

　　他们在俄罗斯的拉普兰碰见了巴伦支。巴伦支到过新地岛的北方尽头，此纬度是有记录以来人们所到过的最高纬度。在还没遭遇强对流风和浮冰之前，这三艘船就一起返回了泰瑟尔。

发现了传说中的塔宾角，燃起了他们的希望。于是，他们派出了六艘装备完好，满载着各种适合印度市场的商品的船只出航。此外还有一艘小游艇，负责陪伴舰队至岬角。这艘小游艇带回好消息称，船队已经随着吹向印度的季风起航。正如我们所猜测的那样，这些乐观的希望都注定是失望。"风洞海峡"，正如其名，是不会让船只这么容易穿行的。由于试图强行通过浮冰区却毫无结果，因此几个月后，也就是在他们以为可以取得突破的美好希望破灭之后，终于灰溜溜地返回了港口。

虽然这次失败让他们感到心灰意冷，但是坚持不懈的荷兰人还是没有放弃绕过塔宾角到达印度的方案。1596年5月16日，由巴伦支和其他两个人指挥的第四次向东北方向的远征开始了。他们发现了熊岛和斯匹次卑尔根岛。于是船队被分成两部分：两艘船返回荷兰，而巴伦支缓慢地穿过浮冰和海雾，前行到新地岛的最北端。从奥林其群岛悬崖上可以看到东南方有一大片开阔水域，船员们听到这一消息，大受鼓舞。

人们都想要到达这一引人注目的通道，但浮冰却让大家止步不前。因为当船靠岸时，冰就会聚集在船边和船底，使得船只冻结，并会把船抬到海平面以上。在第二年夏天之前返回故乡的希望也破灭了。就在1596年8月底，北纬76°的地方，这17个不幸的人注定要忍受恐怖的北极之冬，前方那未知的遭遇让他们更加恐惧。

他们开始建造一间房屋。经过艰苦的劳动，他们终于在 10 月 2 日建好了屋子。天气一天比一天冷了，在烤火的时候，他们衣服上远离火的那端会被冻得硬邦邦的。"似乎火已经失去了散发热量的能力。他们的袜子都烧起来了，脚还没有感受到热度。而且人们注意到袜子在燃烧，不是因为知觉，而是因为烧煳了的味道。"

11 月 14 日，太阳落山后，黑暗使得不速之客——北极熊开始冬眠。然而，他们有惨白的月光照明，并发现了肉质很好的北极狐。1596 年 1 月 24 日，81 天的极夜之后，太阳的轮廓终于越出地平线。这对他们来说是一个绝好的现象。狂暴的暴风雪也停止了。虽然严寒依然持续到 4 月，但是他们已经可以走出房屋，锻炼一下了。随着白天的归来，北极熊也再次出现。他们打死了一些北极熊，得到了些脂肪，这样就可以点起油灯，边阅读边打发时间了。

当夏天再次来临的时候，他们却发现解不开冰封的船了。逃生的唯一希望就落在了两艘小船上。1596 年 6 月 14 日，他们终于开着这两艘小船逃离了这个充满苦难和不幸的地方。但在四天后，他们被大量浮冰包围了，小船在这些浮冰中受损，甚至被撞得粉碎。因此，他们终于放弃了所有的希望，选择以一种庄严的方式彼此道别。

在这个令人绝望的危机中，他们之所以能逃生，都要归功于一个有着灵活头脑和敏捷身手的水手。这个水手利用一根完

北极熊

好的绳子，从一块浮冰上跳到另一块上，直到他跳到一块很大的冰上。首先是病人，然后是商人、船员，最后船只都着陆到这块大浮冰上。他们不得不在这里对船只进行必要的修理。在他们受阻于这块浮冰期间，英勇的巴伦支结束了他极不平凡的人生航程。

他临终前和他平时一样冷静而果敢，他更多想到的是他的同伴们，而不是他自己。因为他临终前说的几句话都是在为其他人指引方向，希望他们能够逃出去。他死后，麾下的那些粗鲁老汉们都痛哭流涕。回家的希望都无法安慰他们失去自己挚爱领袖的悲伤。

在一段漫长的航行（因为在 7 月 28 日之前他们仅仅到达了新地岛的南端）之后，他们在 8 月末终于抵达了位于俄罗斯拉普兰的科拉河。在那里，他们惊喜地找到了三艘荷兰船只。在被困新地岛的 17 人中，有 12 个人终于回到了阿姆斯特丹。通过这些探险，我们也了解到了这些北方地区在冬季的自然条件。

1602 年，英国进行了另一次尝试。韦茅斯试图穿越一个海湾时，一场猛烈的暴风雨将他击退了。这个海湾就是现在著名的哈得孙湾。接着 1606 年，约翰·奈特带领的探险队也遭遇了波折。

1607 年，亨德里克·哈得孙第一次尝试穿越北极。早在 1527 年，罗伯特·索恩就已打算进行北极穿越之旅，但是直到 80 年后才有人真正地去进行这样的探索。亨德里克·哈得孙到达了格陵兰岛西海岸的北纬 73° 处，之后航行至斯匹次卑尔根岛的北段。但是海上的浮冰挡住了他前进的步伐，阻碍了他对未知海域探索作出的所有努力。

在 1608 年的第二次航行中，他试图通过东北通道，但是失败了。1609 年，在他为荷兰所进行的第三次航行中，他发现了一条壮美的河流，这条河流现在依然以他的名字命名。这个共和国的"帝国城"就发源于这条河的河口处。

在 1610 年 4 月，他进行了最后一次也是最负盛名的一次航海。在此次航海的所有指挥官看来，这次航海准备得很不充分。船队中只有一艘 55 吨的船，装载了六个月的生活物资，而船员也很快认清了他们的长官根本没什么能耐。在驶进哈得孙湾的时候，大量浮冰把海面堵得水泄不通，浓重的海雾也让他们什么都看不到。这种情况让他们丧失了所有的勇气，恳求长官立刻返回英国。但是哈得孙还是坚持前进，最后他的船驶入了一片宽阔的水域。水面在清晨的阳光中荡漾，哈得孙湾就这样展

亨德里克·哈得孙

现在他们面前。这个让人惊喜的发现使得哈得孙完全相信，去往印度的西北通道就展现在他们面前。在经历了那么多困难之后，他终于成功了。

8月初，怯懦的船员考虑到这段通道风险太大，要求即刻返回。但是哈得孙决心完成冒险，如果可能的话，他还要去往印度的阳光沙滩上过冬。此后的三个月，他继续寻找着地中海的南部海岸。他试图发现向南方开放的通道，但这种做法是徒劳的。后来，11月10日，他的船被冻在了詹姆斯湾的东南角。

等待这些被冰所困的船员的是一个寒冷而悲惨的冬天，而此时他们的物资几乎已经用尽了。更不幸的是，他们并没有什么耐心和团结力。而巴伦支和他的同伴们，曾经在更严苛的自然条件下，依靠的也是所剩无几的物资，但尚能保持勇气。

在6月21日的早上，哈得孙的船又一次浮了起来，他又沉迷在了对阳光明媚的东方的幻想中。而正当他在甲板上漫步的时候，他的手臂突然被抓住了，他发现抓住他的正是他的三个手下。

质问、抗议、请求、命令都不能使这些顽固的叛徒回头。哈得孙勇敢地把自己交给了命运，然后他带着高贵的尊严，冷静地看着这些叛徒的安排。哈得孙的双手被绑在背后，然后他被放在了一艘小船上。然后是一些粉末、一把枪和一个木匠箱，再后面就是木匠约翰·金。约翰·金这个名字应该是值得特别纪念的，因为整条船上只有他依然对他的主人保持忠诚。

六个病人也被弄到了船上，然后这艘小船被放逐了，而大船踏上了回家的旅途。哈得孙从此便杳无音信。但是实施这个邪恶阴谋的船员很快就付出了惨痛的代价。有些人死在了与爱斯基摩人的战争中，剩下的人由于没有吃的死在了归国的航程中。

虽然哈得孙悲惨地死去了，但是有人给了他一个准确的评价："在能力上，是少之又少的行家；在勇气上，强大到举世无双；而在辛勤劳动这点上，几乎无人能比。"

哈得孙河中的"半月号"

这片他探索过的广袤无垠的大海，为探险工作注入了新的活力。后来，又有人继续进行探险（托马斯·巴顿于1612年，吉本斯于1614年，拜洛特于1615年），沿着哈得孙湾的西岸，寻找去往印度的航道。

除了在1616年进行航海的巴芬之外，所有人的努力都是徒劳的。巴芬曾经在戴维斯海峡碰了碰运气，并且在这个巨大的海湾中对地理探险作出了新的重要的突破和贡献。这个海峡也将永远以他的名字命名。在这次航海过程中，他发现了进入史密斯海峡、琼斯海峡和兰开斯特海峡的入口。但同后来的探索相比，他并未试图对这些宽阔的水域进行调查。

他认为，这些水域应该只是单纯的封闭海域。这种想法曾经被大众广泛接受，以至于此后整整两个世纪，在这种思想的引导下，都没有人探索过这些水域是否有西部通道。直到1619年，丹麦人延斯·蒙克带领由其国王克里斯蒂安四世资助的两艘船对这些水域进行了航行探索。随后，福克斯和詹姆斯（1631—1632年），奈特和巴洛（1719年），米德尔顿（1741年）与摩尔和史密斯（1746年）都对哈得孙湾作出了探索。在多次失败后，他们依然为了探索西北方通道进行了很多次的远征。这在当时就像虚构的骑士小说一般不切实际。

维塔斯·白令，一个丹麦裔俄罗斯海军军官，受凯瑟琳女皇的指派，于1725年5月5日从圣彼得堡出发，奉命探索堪察加海。在这次持续数年的航行中，他发现了白令海峡（1728

年），并证实亚欧大陆与美洲大陆并不相连。但在随后的一次航行中，他在白令岛上患上坏血病，于1741年9月8日病逝。

白令海，或者说堪察加海，位于太平洋的最北端，横亘在阿拉斯加半岛和堪察加半岛之间。其与北冰洋之间相隔白令海峡，最窄部分位于杰日尼奥夫角（亚洲）和威尔士王子角（美洲）之间，宽约45英里。白令海峡平均深度约为180英尺。

第三章　从巴芬岛到麦克林托克山

　　菲普斯船长（1773 年）和著名的库克船长（1776 年）试图绕过美洲或者亚洲北部海岸，但他们的航行在斯匹次卑尔根海失利了，这大大地削弱了之后 40 年人们对北极探险的热情。但是当人们知道斯科斯比所带领的格陵兰海捕鲸队，到达了离北极点只有不到 540 英里的北纬 81°30′ 处之后，他们的探险热情又回来了。此前，从来没有船队到达过那么靠北的地方。一大片诱人的开放海域就展现在斯科斯比的面前，而没有冰原反光这一点，更是证明了在可见地平线之外并没有能够阻挡路线的冰原或积雪。但是他的目的仅仅是进行商业活动，而他本人也是直接对船东负责，所以他不得不把自己的爱好牺牲给职责，再次向南航行。

　　在欧洲大陆爆发战争期间，英国没有闲心再去进行北冰洋探险。但是战事平息后不久，1818 年，四艘坚固的船只就被政府派遣出去了。其中，船长巴肯所带领的"多萝西娅号"和指挥官约翰·富兰克林所带领的"特伦特号"计划穿越北冰洋。7月 30 日，在经历了无数的挫折之后，探险队正在与斯匹次卑尔根岛西北部的浮冰做斗争，而此时一场突如其来的大风，迫使指挥官下令"躲在冰中"，也就是说，把船开到他们所能找到的浮冰的缝隙之中。

在这个危险的过程中，"多萝西娅号"受到了很严重的损伤，甚至有沉没的危险。因此，暴风一平息，他们就立刻准备让"多萝西娅号"回国，而"特伦特号"也不可避免地一同踏上归程。

一同出航的另外两艘船，由约翰·罗斯指挥的"伊莎贝拉号"和由威廉·爱德华·帕里指挥的"亚历山大号"，则要继续在戴维斯海峡中朝着更高的纬度行进，然后向西横跨，以期抵达白令海峡。但是这次探险又一次在失望中结束了，因为尽管罗斯更明确地将格陵兰岛界定为丹麦在梅尔维尔角和史密斯湾

詹姆斯·库克船长：第一位环航世界的船长

中间的北部领土，但是他在对巴芬湾到北冰洋之间的海峡做了一个很粗略的考查之后，就觉得已经足够了。

在兰开斯特海峡航行一段距离后，罗斯受阻于山脉之中错综复杂的地理环境，他曾试着穿越这段路，但后来却认为即使继续走下去也不会有什么结果。于是，他放弃了这项让继任者声名显赫的探索。罗斯在这次探险中的做法并未获得国内当局的满意。第二年，由帕里指挥的"赫克拉号"和由马修·立登指挥的"格里珀号"，奉命出航探索海峡，而这个海峡的入口只有巴芬和罗斯曾经到过。

在这次出色的航海过程中，现代的北冰洋探索才可以说是真正开始了。就在穿越兰开斯特海峡——也就是罗斯幻想中克洛克山脉所在的那个地方后，帕里穿越了巴罗海峡。而在探索摄政王湾的时候，从那儿漂来的浮冰迫使他驶回主航道，他由此发现了惠灵顿海峡（1818 年 8 月 22 日）。就在他向手下宣布他们已经抵达了西经 110° 不久后，他们就以"陛下的臣子在北极圈内成功向西航行如此之远"的名义，获得了领取价值 25000 美元奖金的资格。

在成功穿越并命名了梅尔维尔岛之后，他们向西航行的途中还取得了一些小成就。但在此时，海面已经逐渐结冰了，船只很快就被冰困住了。从这个巨大的危难中脱困之后，帕里十分高兴，因此他没有选择返航，而是在温特港安顿了下来。到达这个沉闷的港口并不是一件容易的事情，因为他们首先得打破七英寸厚的冰层，并开辟出一条两英里长的"运河"。但是这些人已经没什么精力了，他们只干了三天就无法继续下去。这两艘船很快就被卸下了索具，甲板也被安置好，他们还设置好了一个供暖设施，一切都被弄得尽量舒适。为了缓解漫长冬夜里的单调、乏味，他们做起了游戏，还建起了一所学校，筹划起了一份报刊——当然，这是第一份在这么高纬度地区发行的刊物。

白天，男人们通过往船壁上堆雪的方式来煅炼，或者在一个特定的距离内散步。如果天气不好，他们出不去，那就绕着甲板转圈跑。

帕里手下全体船员在冰面上开路

天气变得越来越冷。1819 年 1 月 12 日，外面的气温已经低至 -51℃。14 日，气温跌到了 -54℃。

1819 年 2 月 3 日是值得纪念的一天，他们终于可以从赫克拉火山的山顶看到太阳了，上次见到太阳还是在 80 天前——1818 年 11 月 11 日。3 月，天气变得暖和些了。6 日，温度计上的计数终于上升到了零上，这是从去年 12 月 17 日以来的第一次。4 月 30 日，温度终于终日保持在 0℃ 以上，而上一次这样的日子还是去年的 9 月 12 日。

5 月份到了，北半球高纬度地区的夏日终于到来，但是还要等上好久，船才能从冰封的海峡中驶出去。在 1819 年 6 月 1 日，帕里开始探索这个火山岛的内部。而这个岛即使在这样的夏初时节，还是呈现出一派荒凉沉闷的气象。但植被生长非常迅速，在 6 月的月末，岛上很快一点儿雪都没有了，而且还长满了盛开的紫色挪威虎耳草、苔藓，还有酸模属的植物，草也长到两三英寸高了。在这些山谷中，放牧似乎还不错。通过密集的麝牛和驯鹿的脚印可以判断出，应该有不少动物来这里享受丰美的草场。

直到 8 月 1 日，船只才终于从温特港长达十个月的禁锢中解放出来，帕里又一次面向西方挺立。但是航线上的浮冰还是那么顽固地聚集着，他没有办法让这些冰消失，或者说没办法保证船舶在受到这些浮冰的撞击后还能安全行驶。他放弃了找到跨越这些障碍的办法，直接踏上归程，并于 1820 年 11 月 3 日归抵伦敦，受到了非常热情的接待。

当帕里正忙于这次美好的航行时，约翰·富兰克林和理查德森博士，带着两个军校生乔治·巴克和罗伯特·胡德，再加上水手约翰·赫本，以及在半路上加入的一支由加拿大土著人、印第安人组成的队伍，正忙于从陆路抵达科珀曼河河口，以期探索北冰洋东部未被探索过的海岸。在这些人于 1819 年 8 月 30 日从哈得孙湾的约克堡出发的时候，他们或许在想此行应该是磨难重重的。在从萨斯喀彻温省航行了 700 英里之后，他们终于在冬天到来之前抵达了坎伯兰堡。

在下一个冬天到来的时候，他们又前行了 700 英里。在严寒期间，他们已经驻扎在了恩特普赖斯堡，并在温特湖（冬湖）边上建造了一间木屋，靠着捕鱼和同行的印第安猎手的打猎度过了十个月。1821 年夏天，他们继续成功航行了 334 英里，到达了科珀曼河的河口。7 月 21 日，富兰克林和他的手下乘坐两艘独木船，继续他们的探险航行。凭借这些脆弱的小艇，他们到达了科珀曼河以东 555 英里的荒凉美洲大陆海岸——特纳盖恩角。而此时，他们的给养迅速减少，独木船也在加速坏掉，所以他们被迫返航（8 月 22 日）。

随后，他们开始了为期两个月的可怕的陆上之旅，伴随而来的是对寒冷、饥饿和疲劳的恐惧。一种可食用的地衣，和偶尔能打到的一些松鸡，勉强构成了他们的食物来源。但是他们经常连这点儿贫乏的食物都得不到，而且他们的胃口变得大起来。有时候他们能幸运地捡到些春天时狼吃剩下的鹿皮和骨头，这

约翰·富兰克林爵士

些骨头很容易烧碎。他们也不时把旧皮鞋当成食物吃掉。当他们到达科珀曼河的时候，必须得扎起一个筏子，这个任务对于这些筋疲力尽的人来说着实困难重重。加拿大土著人中的一两个早就已经掉队，再也没有跟上来。胡德和队伍中的其他三四个人也已经十分虚弱，不能再前行了。理查德森自愿跟他们待在一起，而巴克和精力最充沛的几个人负责前往恩特普赖斯堡请求救援，富兰克林和其他人则慢慢地前行。

他们到达恩特普赖斯堡以后，发现那里十分荒凉，并没有他们本想看到的储备物资或者是印第安人的踪迹。富兰克林说："在到达这个破烂的地方之后，那种被抛弃了的心情是不可言喻的。所有人都流下了泪水，不是为了我们自己，而是为了我们后

乔治·巴克和威廉·爱德华·帕里

面的朋友，只有我们的及时救援才能挽救他们的生命。"他们唯一的希望就是巴克留下的一张字条，上面写着他在两天前就已经到过这间破旧的小屋，并且已经出发去寻找印第安人了。他们幸运地发现了一些剥下来的鹿皮和一堆散发着刺鼻气味的骨头，这些物资维持了他们的生命。这样悲惨地过了18天之后，理查德森和赫本终于跟上来了，而他们俩就是后方仅有的幸存者了。

"在进入这个荒凉的屋子里之后，"理查德森说，"我们很高兴能够再一次拥抱富兰克林。但是无法说清我们环顾这个屋子的污秽和脏乱时心里的感受。所遭受到的不幸快要把我们打垮了。看着彼此瘦弱的身形，我们习惯性地陷入沉思。但是富兰克林他们那因饱受饥饿而苍白的面容、凸出的眼球和刺耳的声音，已经快让我们承受不住了。"终于，11月7日，这次多灾多难的远征中仅剩的几个幸存者（大多数人都在极度的疲惫中死去）在即将被痛苦折磨死的时候，迎来了被巴克带回来的救援。他们等待这些救援已经太久了，在尽情享受食物的时候，他们吃得胃都痛了。这也提醒了他们，在禁食了这么长时间之后，他们得慢慢吃，不能一下子吃太多。两个星期内，他们恢复了体力，并且在麋鹿岛上整合到巴克的队伍中，于次年返回了英国。

帕里第二次航海探险（1821—1823年）的目的是弄清楚在摄政王海湾与罗斯·韦尔卡姆海湾之间是否可以开辟出一条航线，或者是否可以穿过里帕尔斯贝，到达美洲的西北海岸。航行第一年（1821年）的夏天，是在试图强渡弗罗曾海峡、里帕尔斯贝的过程中白白度过的。因为在那里，海水中大量的浮冰把船只牢牢困住，动弹不得，而且经常挟裹着船只，将其推回一个月前刚刚出发的地点。由于这样的挫折，最有利于他们探索工作开展的夏季就这样结束了。所以，船只不得不停下来准备过冬，就这样，船只在梅尔维尔半岛南部的温特岛上一处开放水域中抛锚了。次年2月，爱斯基摩人对他们进行了一次友好的探访，为他们打破了冬天的单调和乏味。

其中有一个年轻女人，她有良好的理解能力，这让她成了她的族群和英国人之间交流的口译员。人们告诉了她地图是什么，于是她就用粉笔在甲板上画出了附近海岸的轮廓，还画出了整个梅尔维尔半岛的东海岸。她的图中显示，梅尔维尔半岛北部有一个巨大的岛屿和一片足以供船只安全通过的海峡。她提供的信息极大地鼓舞了船队的信心，而船队此前猜想这会是他们此次航行中最艰难的航程。7月2日，船只刚刚能下水，为了确认地图中的信息，他们就立刻开始了航行。

在从浮冰的巨大危机中逃脱出来之后，他们到了一个靠近入海口的小岛上，这个小岛名叫伊格卢利克岛。这个小岛的情况是一个爱斯基摩女人告诉他们的。但是尽管他们努力尝试了，还是没能成功穿越那个狭窄的海峡——他们努力前行了65天之后，仅仅往伊格卢利克岛的西方航行了40英里。所以，船又在冬天停滞在了伊格卢利克岛和陆地之间的海峡中。但是帕里通过驾小船探索，弄清了海峡的地理范围。所以他认为，在即将到来的夏天，他们很有希望能够从海峡中脱困，他立刻把这个海峡命名为"弗里－赫克拉海峡"。但是由于浮冰堵住了通道，他的希望又一次落空了，并且他发现，仅仅凭借他的船只根本就不可能穿越这处海峡，所以他带领所有船员安全返回了英国。

两年后，人们又一次对高纬度地区进行了一次成功的探险和探索。次年，两支探险队出发了。

里昂船长驾着"格雷普号"，驶出里帕尔斯湾，在韦杰河登陆。然后跨越梅尔维尔半岛，经由陆地到达特纳盖恩角——富兰克林的探险就是在那里结束的。但是，一连串的暴风雨使得"格雷普号"伤痕累累，因此它不得不返回英国。

在前两次航行中，帕里在团队中受到了极高的尊重。因此，当他再次受命远征探寻摄政王湾中的新航线时，他的部下们都自愿跟随他。从7月中旬到9月中上旬（1824年），"赫克拉号"和"弗里号"不得不奋力躲避巴芬湾中漂下来的浮冰，因为这些浮冰很容易就能撞碎船壁处薄弱的部分。而且，他们在9月10日从兰开斯特海峡出发时发现那里除了有一些零星分布的小冰山之外，并没有什么大块浮冰。

但是现在，出现了每天都在增厚的新浮冰，每天都对船只造成威胁，使得他们不得不返回巴芬湾。靠着顽强的毅力和强劲的东风的帮助，帕里安全返回，并于27日驶入摄政王湾东海岸的鲍恩港，在此处度过了冬天。到了1825年7月19日，船只又可以自由活动了。于是帕里穿越了海峡，对英国北萨默塞特的海岸进行探索。但是在浮冰中，"弗里号"损伤惨重，所以帕里不得不放弃这艘船。所有船员和船上的贵重物品都被转移到了"赫克拉号"上，物资储备、物资供应和小艇也都从"弗里号"上卸了下来，并被存在了北萨默赛特的弗里角上，因为说不定将来会有爱斯基摩人闲逛至此，或者有探索北极的探险者可以发现这些物资，那么这些物资就可以为这些人提供救援。而"弗里号"的伙伴"赫克拉号"则很快返回了英国。

尽管富兰克林、理查德森和巴克在第一次陆上探索中遭遇了如此可怕的磨难，但是在1825年，这些英雄人物又一次动身，决心继续探索北极海峡。他们为这次探险做了充分的准备。他们在冬天驻营于大熊湖边上的富兰克林堡之前，已经完成了对马更些河到海里这条线的勘察。

次年夏天，海冰一解封，他们就派出了四艘船，在河流的两个大支流处分别行动。富兰克林和巴克想去探索西方海岸线；而理查德森则动身往偏东方向，去探索科珀曼河河口。富兰克林于1826年7月抵达马更些河河口，在这里，一群爱斯基摩人抢劫了他的船只。由于船员们的谨慎和隐忍，他们才没有全都被杀掉。他们在对瑞坦礁长达374英里海岸的无聊探索中度过了整整一个月，而瑞坦礁离他们在大熊湖湖畔的冬季宿营点的距离已经超过了1000英里。他们回到富兰克林堡的归程很安全，并且于9月21日回到了他们的居住点。在那里，他们很惊喜地找到了理查德森。理查德森已经到过科珀曼河，所以他们可以说是把富兰克林之前对科罗内申湾以东的探索成果和理查德森本次对马更些河以西的探索联系在了一起。

次年冬天，富兰克林堡十分寒冷，温度计上的计数始终处于 -58℃以下。但是比起恩特普赖斯堡的窘迫状况，他们现在的环境算是舒适了。

当富兰克林离开英国进行这次探险时，他的第一任妻子正生命垂危（事实上，在他离开后的第一天，她就去世了）。但是，她还是催促他在事先定好的那天出发，不要在她身上耽误时间。他的心情，我们或许可以通过他在加里岛插上一面丝质旗子这件事来揣测，因为这面旗子是他的妻子在他出发的时候送给他的礼物。正是有了妻子的支持，富兰克林才能到达北冰洋，并把这面旗子插起来。

在帕里和富兰克林探寻西方通道的时候，比奇船长带领的一支海洋探险队奉命抵达白令海峡，与他们合作探索。在这个过程中，比奇船长指导他们的探索活动，并让他们提供返航的运输工具——这是一个计划比实施要容易的任务。所以不难想到，当"布罗索姆号"抵达位于科策布湾沙米索岛上事先约定的会合地点（1826 年 7 月 25 日）时，船上的人既没看到帕里（早已回英国），也没找到富兰克林。

1827 年，不知疲倦的帕里进行了一次人类历史上十分杰出的航行——越过浮冰。这次航行的突破性不亚于用小艇和雪橇抵达北极点。他对成功的渴望基于对克洛斯比的信任——克洛斯比说，他曾经看到过既没有裂缝也没有冰丘的冰原。如果冰原上一点儿积雪都没有的话，那么就算是马车都可以在地上直线行走了。但是当帕里到达斯匹次卑尔根岛北部的冰原时，他发现冰原上的自然条件真的很不一样，地面崎岖而松散，还分布着很多湿地，这使得他们前行得十分缓慢和艰难。

为适应两栖的旅途，船被制造得很坚固，并被造成平底式。为方便雪橇搬运船只，船上龙骨的每侧都有一个人带动船前进。若是要上到冰丘上去，他们就必须不停地装载，之后卸空物品，才好推船前进。而且他们经常得在同一片陆地上重复地前进、后退。船员们经常得趴在地上，用手和膝盖来保持自己的重心。

帕里的冰原之旅

强烈的阵雨经常使得地上冰层的表面一团泥泞，而且在有些地方，冰会形成一种尖尖的晶体形状，能够像小刀一样把人的靴子划烂。但是尽管有这些困难，他们还是非常高兴地跋涉着。在经过长达35天的艰辛探索之后，他们终于发现，向北极方向穿越的那片冰原正在很明显地向南漂移，这使得他们一直以来所有的努力都落空了。虽然帕里心中将他祖国的国旗插到地球北轴上的愿望落空了，但同时他也很自豪，他到达了人类有史以来所探索到的最高纬度地区（82°40′30″N）①。

在返回"赫克拉号"的路上，他们在位于斯匹次卑尔根岛北海岸的特罗伊恩贝里湾等待时，船在海上遭遇了一场可怕的暴风雨，使得他们不得不从瓦尔登岛最北端的岩石上登陆。而幸运的是，他们曾经在此处放置了一些食物和供给品。"我们所有的物资，"帕里说，"现在都被雨雪打湿了，变得十分沉重。我们已经连续56个小时没有休息过，而且在船上连续工作了48个小时。所以在卸船的时候，我们几乎都没有力气能够把那些船拽上岩石。但是经过极大的努力，我们还是成功地把船拉了上来。之后，一顿热乎乎的饭，一堆用干木头生起来的火，还有几个小时的休息终于让我们恢复了体力。"有些人感叹人类正在退化，认为古时候的人一定活得更轰轰烈烈、更有精力，不过当他们读到帕里他们的故事之后，可能会改变自己的想法。

---

① 一说 82°45′N。——编辑注

就这样，这位伟大航海家的北极之旅结束了。在他开始航海的第 28 年，他发现了梅尔维尔岛。他后来的探险也延续了他第一次辉煌成功中所获得的良好声誉。从 1829 年到 1834 年，他一直都居住在新南威尔士。1837 年，他从事了一段邮政工作，后来又被任命为格林威治医院院长。他于 1855 年在埃姆斯去世。

从约翰·罗斯第一次失败的航行开始，已经过去了十年。这个老水手一直以来都试图用一些有价值的成就抹掉以往的失败给他带来的耻辱。而此时，他终于有机会实现他的愿望了。他为这次航海买来了一艘小轮船并将其命名为"胜利号"，但这又将是一个不幸的选择。因为在浮冰区里，大概没什么比划桨更不切合实际的了。但说到弥补选择的失误，罗斯又很幸运，因为有他侄子詹姆斯·罗斯陪他一同航行。詹姆斯·罗斯具备一个优秀水手所应有的一切素质，还具有一个能干的博物学者的热情。正是在他全权负责的雪橇旅行之中，他有了一些重要发现。但是，比起前五年的航程纪录，"胜利号"此次的行船所取得的成就远不如前。

第一个季度过得还算不错。1829 年 8 月 10 日，"胜利号"进入了摄政王湾，到达了帕里在第三次航行时不得不丢掉"弗里号"的地方。"弗里号"整艘船已经被海水冲走了，但是岸上放着的船帆、贮存的食物和物资等还没有人碰过，保持着原样。储备的封装锡罐全部都被打包得严严实实，使得这些食物免于遭受北极熊的享用。这种良好的保存方式让它们看起来像几年前被存在那里的时候一样。正是这些食物，为"胜利号"的全体船员们提供了后续保障。否则，他们如何能够在北极地区度过四年的漫漫冬日呢？

8月15日，他们到达了加里角，这也是帕里在第三次航行中所到达的海湾最南点。海雾和浮冰大大延缓了他们探险的步伐。虽然缓慢，罗斯他们还是持续行进着。在9月15日，他们终于在这个首次探索的地方走了大约500英里。但此刻冬天已经开始了，"胜利号"被迫停靠在费利克斯湾。已经没有用处的蒸汽机在这里被丢到了海里，他们尽可能地在为即将到来的严冬做着准备。

詹姆斯·罗斯利用第二年春天（1830年5月17日至6月13日）的时间进行了一次以雪橇为代步方式的探索，并由此发现了威廉王海湾和威廉王地区。就在这里，他向西越过了很远的距离，以至于回去的时候，他只有十天的返回时限，却要穿过一片宽200英里的荒地。

在被困长达12个月之后的9月17日，"胜利号"终于从冰上脱困，并在此继续海上探索。但是自由的时间很短暂，9月27日，在持续航行了3英里之后，这艘船又一次在和浮冰的斗争中被很快冻住了。

直到1831年春天，詹姆斯·罗斯又一次把他雪橇探索的范围扩大了一圈，而且把英国国旗插在了北磁极①的位置。然而，

---

① 北磁极也就是地磁的北极。——译者注

后来人们知道，地球磁极^①的位置并不是一直不变的，而是在一个特定的范围内不停移动的。

1831年8月28日，"胜利号"在又一年被冰封了11个月之后，再次被牵引进了开放水域之中，但是一整个月的时间内却只前行了4英里远。船在9月27日又被冰封住，又一次被束缚在了这个荒凉的地方。

似乎到明年夏天也一样没有能让"胜利号"从冰封中脱身的希望，所以他们决定放弃这艘船，然后从冰上抵达弗里海岸，并利用那些小艇和供给品的帮助，到达戴维斯海峡。1832年5月29日，"胜利号"的旗帜被升起，钉在了桅杆上。船员们在喝过了一杯与船告别的酒后，都纷纷离船。之后，船长又对船做了告别。"在我42年的航海生涯中，这是我第一次不得不弃船。"罗斯说，"这就像是与一个老朋友诀别一般。我不得不离去，看着我的老朋友一点点消失不见。我们在这艘船上待了多年，如今不得不告别，连周围的景色都被这遗弃的、孤独无助的、被冰困住的船渲染得更加悲伤。时间会在这艘船的身上见证，什么才是永恒。"

在经历了难以想象的艰辛之后，他们终于到达了弗里海滩。幸亏帕里有先见之明，他们在那里很幸运地发现了前人留下的数量足够的小船，而且它们的情况都很好。他们在8月1日出发，因为这时海面视野开阔。他们在浮冰中穿梭了很久之后，终于在8月末到达了海峡的北入口。但是在那里，他们注定要

---

① 磁体上磁性最强的部分叫磁极。——译者注

失望了。因为在巴罗海峡几次穿行未果之后，浮冰使他们不得不把船再弄回岸上，重新扎营。时间一天一天过去了，他们一直等到了 9 月的第三周，但是海峡仍然充斥着大量的浮冰。人们都认为，唯一的办法就是再退到弗里海峡的宿营点，在那里度过北极圈内的第四个冬天。

他们只乘船行驶了一半的距离，9 月 24 日，那些船就被他们拖到了贝提湾①的海岸上，然后他们不得不步行进行剩下的旅程，而供应品则放在雪橇上拖着。10 月 7 日，他们终于又抵达了之前的那座帆布小屋，他们把这个帆布屋尊称为"萨摩赛特屋"②。这座屋子是他们在 7 月"弗里号"失事时建造的，他们曾希望永远不要再见到这个屋子。

他们开始着手在屋子周围搭起一面四英尺厚的雪墙，并用圆木加固顶梁，因为他们想用雪把房子覆盖起来。避难所和屋内的一个火炉可以使得他们在极寒的环境里待得更舒服一些，只可惜严寒气候愈加恶劣，成日狂风肆虐，使得他们无法出去，只能困在屋里，痛苦地忍耐和等待着。就在这时，坏血病开始出现，几个人死于这场灾难。与此同时，对未来的不可知也使得他们的处境越发艰难。于是，他们开始觉得在明年夏天逃脱绝境的这种希望并不现实。他们日渐虚弱的身体和逐渐耗尽的

---

① 贝提湾位于73°13′59″N、91°25′0″W，摄政王湾的一个分支，在萨默赛特岛东岸。——编辑注

② 萨摩赛特屋，源于古英语，意为夏季的居所。——译者注

物资让他们感到逃脱无望。

我们可以想象，当夏天到来的时候，避难所里这些人的生活会有多么大的改善，还有 8 月 15 日他们在贝提湾的时候心情会是怎样的激动。当他们从堵塞海面的浮冰中缓慢前行的时候，他们在 17 日惊喜地发现了巴罗海峡航线中相对宽阔的区域。

重新振作起精神后，他们很快离开了约克角。在连续的划船和航行之后，在 25 日晚上，他们终于在海军局湾^①东海岸的一个优良港口进行了休整。第二天一早，他们被叫醒，并且得知在他们视线范围之内驶过一艘船。他们从来没有这样匆忙却

雪屋

---

① 海军局湾位于73°0′N、80°50′W，兰开斯特海峡的一个分支，在拜洛特岛和巴芬岛之间。——编辑注

积极地出发过。但是风向和他们的行驶方向是相反的，所以那艘船渐渐地从他们的视野中消失，隐没在海雾中。

经过了几个小时的焦急寻找，视线中出现了另外一艘漂在海面上的航船，这大大地缓解了他们的绝望情绪。这一次他们的努力终于成功了。说来也巧，这艘救了他们的航船正是"伊莎贝拉号"——罗斯第一次进行北冰洋探险时所乘坐的那艘船，而现在它已经变成了一艘私人捕鲸船。

罗斯和他的部下们同外界失联很久了，"伊莎贝拉号"上的水手以为这些人都已经遇难了，所以信誓旦旦地告诉活生生的罗斯说，罗斯这人已经死了，所有英国人都相信这个说法。他们几乎都不敢相信，当时站在他们面前的这些人就是罗斯和他的部下们。但是当他们完全相信了罗斯还活着时，立刻对罗斯表现出百分之百的尊重和敬意，船上响起了雷鸣般的掌声，为罗斯和他的部下庆祝，也被他们的勇气所折服。

"伊莎贝拉号"在巴芬湾停了一些日子，继续捕鱼。所以，直到 1833 年 10 月 15 日，我们的这些勇敢的北冰洋探险家才回到他们的祖国——英国。他们回去后，人们惊讶得就像是看到他们从坟墓里复活了一般。无论罗斯去哪里，他身边总是簇拥着一群群的支持者，外国颁发给他的勋章、奖章、证书和学术团体的职位就像雨点一样砸在他身上。伦敦和利物浦允许他随意进入，他还被授予了骑士荣誉。此外，国会还颁给他相当于 25000 美元的奖金，用作对他财务和经费缺乏的补偿。

在罗斯失踪的这段时间，虽然他杳无音信那么久，但他并没有被人遗忘，也有人去援助他。当巴克船长自愿去美洲北海岸搜寻罗斯踪迹的时候，他立刻得到了公开认捐的 20000 美元的活动经费。而当他身处美洲野外时，欣慰地得知了，罗斯已经成功返抵英国。但他没有立即返航，而是果断地决定探索大鱼河①流域，并到达了大鱼河在北冰洋的入海口处。

要讲述他在这次探险中的遭遇的话，我们估计又得再写一本书。在这次探险中，无数的大小瀑布和激流阻碍着他前进的脚步，还有暴风雨、积雪和恐怖的荒野。虽然困难重重，但是巴克强迫自己坚持下去。终于，1833 年 6 月 28 日，他到达了河口，或者更贴切地说，是这条大河把他涌进了北冰洋的那片河湾。

从此以后，为了纪念它的发现者，这条河就被叫作巴克河，这是他应得的最公正的荣誉。

哈得孙湾公司所派遣的探险活动（1837—1839 年）取得了更大的成功。这次探险是由该公司的主要代理商彼得·迪斯和托马斯·辛普森领导的，他们在 1837 年 7 月从马更些河行至入海口。1825 年，富兰克林从瑞坦礁驶向巴罗角，在这段航行探险中，他并未探索美洲北岸的这一方海域，而他们做到了。

虽然此时正值盛夏，但是地面以下几英寸的地方就已经结冰了，海水在船桨和索具上也结成了冰。这些冰迫使他们最终离开了这里。

① 大鱼河即巴克河，流经加拿大西北地区和努纳武特地区。——编辑注

他们满载着物资，继续步行往前走。在冰冷的海水中频繁地跋涉，持续的海雾和凛冽的北风使得他们尽了自己最大的努力和耐力。但是，辛普森——这位探险队的主角，不会被任何短期的困境所吓退，不到巴罗角他也绝对不会停下来。确实，没有人比他更适合在这样的探险队中做带队工作了，因为他在从约克法克特里出发，直到隆冬抵达阿萨巴斯卡的这段时间已经步行超过 2000 英里远了。在此期间，他有时候每天要走超过 50 英里，而且，他除了普通布幔之外没有用任何防寒设备。

在大熊湖的信心堡①过冬之后，终于迎来了春天，这是利于探险的季节。他们也准备继续沿着科珀曼河前进，顺便查探特纳盖恩角 140 英里开外的新海岸——那里正是富兰克林在 1821 年探险的终点。这个夏天，他们依然被幸运眷顾着，因为辛普森成功地探索了特纳盖恩角的全部海岸，还发现了处于大鱼河入海海湾东部的双子河（1839 年 8 月 20 日）。在归程中，他在威廉王岛南海岸，以及维多利亚地区很多高而陡峭的海岸进行了长达 60 英里的探索，并且十分成功地进行了一次长达 1600 英里的海上航行。之后，他于 9 月 24 日抵达了信心堡。

不幸的是，他并没有获得他应得的劳动报酬。因为在次年，他从红河航行至密西西比河（他本打算从此处启程去英国）期间，被他的印第安人导游暗杀了，36 岁的他英年早逝。他是从事北极科考事业的最杰出的探险家之一。

---

① 信心堡位于大熊湖的东北角。——编辑注

第四章 约翰·富兰克林阁下与西北航线

　　1845 年 5 月 26 日，年过六十的约翰·富兰克林阁下与克罗泽船长从英国出发，尝试对西北航线进行一次探险。在南极海洋的航行中，他们这次使用的是"厄尔珀斯号"①和"泰罗号"。这两艘船应该算是最结实耐用的航船了，而且还配备了非常专业和熟练的船员。这大概也是人们第一次如此有远见，带了很多储备物资出发，以确保能够成功。因此，当富兰克林在巴芬湾的鲸鱼岛②做向兰开斯特海峡进发前最后的整修工作的时候，所有人都十分坚信，他们此次的出行必将为北极探险的历史谱上新的、华美的一章。

　　人们满怀信心地期待着他能在 1847 年年底回归。但是冬天过去了，还是没有他的消息。人们开始对他长时间的杳无音信

---

　　① 厄尔珀斯源于希腊语，意为阳间与阴间当中的黑暗界。——译者注
　　② 鲸鱼岛，位于巴芬湾东部、格陵兰岛迪斯科湾的一个小岛。——编辑注

船舵被冰块压碎

感到焦急。1848年年初，人们展开了由公共支出或者有私人慷慨赞助的一系列救援活动，营救规模前所未有。"千鸟号"和"信使号"于1848年出发，前往白令海峡展开对富兰克林的救援，并且成功到达了那里。次年春天，约翰·理查德森匆匆赶往北极海岸，焦急地寻找着老朋友富兰克林的踪迹。他是与瑞伊医生同行的，瑞伊医生也刚从一次难忘的陆地探险中返回（1846—1847年）。瑞伊医生的那次探险，在穿越连接梅尔维尔半岛与大陆的地峡之后，连续到达了科米蒂湾的海岸和布西亚岛的东海岸，并最终到达了约翰·罗斯所到过的罗梅尔湾。这证明了那片荒凉的土地其实是一个广阔的半岛。

瑞伊和理查德森搜索了马更些河到科珀曼河之间的海岸，但是他们却一无所获，荒原上什么都没有。出航后的三个月里，理查德森详细搜寻了巴罗海峡附近的所有海岸。此时已经是1848年6月，这时起航的詹姆斯·罗斯（"恩特普赖斯号"）和伯德船长（"调查者号"）也同样一无所获。

距离富兰克林应该回家的日子已经过去了三年，即使是最乐观的人在这样的情况下也开始感到绝望。但是为了消除所有疑问，人们下定决心，再一次对北冰洋的所有海湾和海峡进行探索。于是，在1850年，至少有12艘船进行了第四次航行。有些船去了白令海峡，有些船去了巴芬湾。

1850—1854年："调查者号"，麦克卢尔船长，白令海峡。

1850—1855年："恩特普赖斯号"，科林森船长，白令海峡。

1850年和1851年："雷索卢特号"，奥斯汀船长，兰开斯特海峡和康沃利斯岛。

1850年和1851年："援助者号"，奥曼尼船长，兰开斯特海峡和康沃利斯岛。

1850年和1851年：彭尼船长乘坐"富兰克林夫人号"，和A.斯图尔特船长乘"苏菲亚号"，受命于海军部，前往兰开斯特海峡和惠灵顿海峡。

1850年：富兰克林夫人的"阿尔伯特王子号"，福赛斯船长，前往摄政王湾和比奇岛。

1850 年和 1851 年："前进号"，美国海军上尉德·黑文。

1850 年和 1851 年："救援号"，美国海军上尉 S.P. 格里芬。

以上两支救援队伍由纽约的亨利·格林内尔出资，前往兰开斯特海峡和惠灵顿海峡。

其他的探险则在 1852 年和 1853 年。虽然就这些探险的目的来说，他们都失败了，但是他们有很多重要的发现，丰富了北冰洋地区的地理知识。

奥斯汀、奥曼尼和彭尼在通过强大的蒸汽机拖轮克服了巴芬湾的浮冰之后，终于到达了兰开斯特海峡。在这里，他们决定分头行动。"雷索卢特号"留在后方，探测庞德湾的周围情况，而奥曼尼则在赖利角（德文岛）发现了失踪已久的那支考察队的踪迹。随后，罗斯、奥斯汀、彭尼和美洲探险者也加入了他的行列。很快，调查有了进展，惠灵顿海峡入口处的斯潘塞角和比奇岛曾是富兰克林他们过冬的据点，因为那里留有一个很明显的大仓库、一些木桶板和空的罐头盒。

此时冬天临近了，这预示着在冬天他们基本上不太能有什么新的突破了。所以，所有进入了巴罗海峡的船只都开始在康沃利斯岛南部建起了过冬居所。而"阿尔伯特王子号"在冬天未到来的时候就已经航向英国，与之同行的美洲人早已感觉到了这么多船以一条航线航向西方不是明智之举。这些美洲人往回走，但是很快就被大量的浮冰所阻，使得他们在那里被困了长达八个月之久。"救援号"和"前进号"在惠灵顿海峡漂来漂去，直到12月的一场巨大的暴风雨把这两艘船吹进了巴罗海峡，并且吹进了更远的兰开斯特海峡。

在这个可怕的海峡里，周围的冰山忽开忽合，他们无数次都身处危险之中。小巧的船身和坚固的构造帮助他们一次次摆脱被"扼杀"的命运，并使他们可以把船开到冰山区的相对边缘处，而不会被冰山碾碎。

在他们到达巴芬湾时，冰还没有融化，一直到1851年6月9日他们到达迪斯科岛的丹麦定居点，那些冰才全部消融。

在更换了精疲力竭的船员之后，英勇的德·黑文决定返航，并且在余下的航海季里完成他的调查。但是捕鲸船带来了令人沮丧的消息，于是他改变了他的目标，和他的船员们在经历了重重困难之后于10月初到达了纽约。

在同一时间，英国的探险队也没有停止他们的活动：春天到来的时候，那些组织有序的雪橇队一个接一个地往不同方向出发，但是他们都带着同样的失望返回。

当惠灵顿海峡开放的时候，彭尼大胆地乘船进入了狭窄的冰道，在经历了许多困难和危险之后，他到达了昆斯水道，然后一直行驶到了班克斯岛①和比彻角。

---

① 原文作 Baring Island，这是班克斯岛（Banks Island）最初的名称。——编辑注

　　风平浪静的宽阔海洋一直延伸到北方，但他那艘装备不良的船已经不起风浪，这趟探险之旅也就无法再继续下去了。于是，他不得不就此返航。彭尼向奥斯汀船长说出了他的理论依据，希望能按照他设计的路线航行，但最后并没有说服对方，只能遵循指定的路线前行。一路上，他也没有得到官方人员的协助，导致许多事务难以落实。他被迫遵从了海军中队的指令行事，经过两次无效尝试后，终于驶入了史密斯湾和琼斯湾，回到了英国。

　　阿尔伯特亲王于 1850 年，带着他在比彻岛上发现的海事情报归国，到下个探险季时这项情报终于有了用武之地。在威廉·肯尼迪的指挥下，已没有时间修复船只，让它再次航行。

　　肯尼迪发现摄政王湾入口完全被冰堵住了，于是他们被迫选择在入口东岸的鲍恩港临时避难。然而避难毕竟不是一个长久之计，为了能够在他们探险路线对面的海岸顺利过冬，肯尼迪和他的四个船员穿过利奥波德港，在无尽的冰原上寻找是否有之前的探险队留下来的物资。但是他们并没有找到任何东西，只能空手而归。令他们震惊的是，那个入口完全被冰堵住了，无论是开船还是走路，他们都完全不可能进入。

　　漫长而黑暗的冬季迅速笼罩了他们，他们的生命每时每刻都被即将脱落冰盖①的浮冰威胁着。如果不能迅速回到岸上，他

---

　　① 冰盖又称大陆冰川，呈巨型圆顶状，是一种长期覆盖在陆地上的面积大于 5 万平方千米的冰体。——编辑注

们随时可能丢掉生命。

1851年9月10日，这样一个寒冷的夜晚，他们却只有一艘船作为庇护所。尽管大家都很疲惫，但每个船员都只能轮流休息一小时，因为他们要寻找一个安全的地方。所有人的精力都花在了这片荒凉的海岸上，然而，第二天早上，他们发现船消失了。

漂浮的冰带走了他们的船。那船一定早已经漂到入口，并且被冰截住了。为了春天到来之前回到船上，肯尼迪船长和他的船员在寒冬中挣扎生存。幸运的是，他们找到了詹姆斯留下的一仓库物资。

罗斯来到捕鲸点，就在附近地带找到了所有物资，每一件都保存完好。于是，他们开始准备下水，将那些物资留在原地储备，作为临时住所补给。

10月17日，他们驻扎的地方升起了令人愉悦的火光，制作过冬的衣服已经耗费了他们大量物资。忽然，他们听到了熟悉的声音，"阿尔伯特王子号"的二副贝洛特上尉带着七个人出现了。

这个勇敢的法国人已经两次尝试到达荒无人烟的地方，但都以失败告终。贝洛特的出现使肯尼迪一行人很快忘记了当初失去船的痛苦。

第二年春天，肯尼迪和贝洛特驾驶着雪橇，穿越1100英里的荒漠，探索了北萨默塞特和威尔士亲王地区，但都没有发现富兰克林和他同伴的一点点踪迹。

然而，这些频繁却总是令人失望的探险活动并没有停止，随着惠灵顿海峡和巴芬湾的通航，又为探索新领域提供了一个绝佳的机会。1852 年的春天，爱德华·贝尔彻和 E. 英格尔菲尔德船长开启了他们对未知地域的探索。

1852 年："伊莎贝尔号"，E. 英格尔菲尔德船长。富兰克林夫人的航船。

1852—1854 年："援助者号"，爱德华·贝尔彻船长。前往兰开斯特海峡和惠灵顿海峡。

1852—1854 年："雷索卢特号"，凯利特船长。兰开斯特海峡，梅尔维尔和班克斯岛。

1852—1854 年："先驱者号"，谢拉德·奥斯本上尉。

1852—1854 年："勇敢者号"，麦克林托克船长。

1852—1854 年："北极星号"，普伦船长。

英格尔菲尔德船长的旅程，后来被证明是北冰洋航海史上最成功的航行之一。他们最终到达了史密斯海峡，这件事到今天也仍旧让人感到困惑。

之后的每次探索都未解开驶入史密斯海峡之谜。英格尔菲尔德探究了北纬 78°30′ 以南所有以贵族名字命名的海峡，勇敢地驶入了史密斯海峡，此前，每次探索均失败了。然而，剧烈的暴风天气迫使他返航。接下来，他尝试了探索琼斯海峡，并且进入它的深处，去观察它是怎样向北拓宽到一个大海峡的。

罗伯特·麦克卢尔

这个受控于贝尔彻的中队在航行的同时，也兼具双重使命：探索惠灵顿海峡和为科林森、麦克卢尔提供援助。读者是否还记得，这两个人在1850年乘船到达了白令海峡。

在比奇岛，"北极星号"作为补给船被安放在那里。整个中队在那里分开了，贝尔彻继续随"援助者号""先驱者号"驶向惠灵顿海峡。同时，凯利特船长和"雷索卢特号""勇敢者号"一起一路向西。当他们刚刚抵达在梅尔维尔岛南部海岸的迪利岛冬季营地（1852年9月7日），一些人就被派出去在各个地方存放一些物资，为来年春天使用雪橇做好准备。

根据以往的经验和现实情况判断，想要穿过沙漠上断裂的地面，其困难程度无法预估。南北方向穿越梅尔维尔岛的直线

雪橇惊险旅程

距离不会超过 36 英里，为了安全起见，"勇敢者号"的船长麦克林托克要求至少需要 19 天的时间到达赫克拉－格里珀湾。麦克卢尔调派梅根去温特港探索一番，但此次任务同样困难重重。1851 年 4 月，"调查者号"停泊在班克斯海峡对面的默西湾。就在它的西北通道，隐藏了无数英雄寻之不得的东西，如今终于被后人发现了。

1853 年 3 月 9 日，"雷索卢特号"和皮姆上尉的雪橇队开始了前往默西湾的旅程，他们将给麦克卢尔带去援助物资。然而没过多久，这支雪橇队也失去了联系。

一个月之后，又有三支雪橇探险队离开了补给船。其中一支队伍由麦克林托克带领，从赫克拉－格里珀湾向西进发，在雪橇上行进了 1200 英里，106 天之后他们返程归来。尽管他们的行程和当年的梅根有很多相似的地方（他们同样从利登湾向西出发，在 93 天行进超过 1000 英里），但是他们也完成了一个北极探险史上无可比拟的探索。听从贝尔彻的指令，第三支队伍由汉密尔顿带领，在前一年的夏天启程探索北部地区。这一支队伍第一个回到了补给船。但在他们到达之前，另外一支队伍已经找到了前往"雷索卢特号"的路，他们凭借着苍白的手、破旧的衣物和瘦弱的身躯，慢慢沿着高低不平的冰面爬行，最终回到了"雷索卢特号"。不知情的人可能会感到惊讶，为何人们会向远处那支衣衫褴褛的队伍发出雷鸣般的掌声，或者向在甲板上的他们致以热情的问候。但毫无疑问的是，麦克卢尔和他的英雄船员在受困于北冰洋三年之后，受到了他们同伴的热情接待。

贝尔彻从各方派出搜索队伍寻找富兰克林的下落，包括"雷索卢特号"的雪橇队，还有他在格林内尔半岛侧诺森伯兰海峡（北纬76°52′）安扎的首个冬季营地也纷纷出动，展开全面搜索，但最后能寻获的线索是少之又少。冬天过去了（1853—1854年），4月的时候，梅根找到了科林森的情报文件，里面记录着他与"调查者号"分开之后的行程。

在返回"雷索卢特号"的归程中，梅根发现船员们心急火燎地准备离开这艘船。原来是贝尔彻已下令弃船，包括"援助者号""先驱者号"和"勇敢者号"都不能再用了。这些船只已经被冻住一年多了，无法航行。

最终，在1854年的夏天，"北极星号"回归了。为了搜索富兰克林，无数勇敢的船员付出了巨大的努力，不计其数的船和雪橇队去探索了许许多多已知和未知的海岸。因此，麦克卢尔和他的同伴们在经过白令海峡进入北冰洋后，放弃了停在默西湾的"调查者号"，穿过戴维斯海峡回到了祖国。然而，克雷斯韦尔上尉和温廉特先生早已抢在了麦克卢尔的前头。这两个人后来在1858年夏季前往比彻岛游览远足时，不期而遇，之后，两人双双加入了凤凰会。英格尔菲尔德船长和他的同伴贝洛特，一起向贝尔彻的船队传达了返回英国的消息。在这期间，贝洛特，这个凭着多种优秀的品质而被普遍喜爱的人，在乘雪橇旅

贝洛特之死

行时不幸掉进冰裂缝遇难了。

几年的时间过去了，自从第一个冬季营地被发现，"厄尔珀斯号"和"泰罗号"音信全无。直到1854年春天，哈得孙湾公司的瑞伊医生在布西亚地峡①进行调查时，偶然碰见了一小群爱斯基摩人。曾经有人告诉过他，在1850年的春天，一些威廉王岛上的当地人看见过一群白人正在尝试去往大陆。

---

① 海洋中连接两块陆地的狭窄陆地。——编辑注

他们之中没有任何一人能流利地说爱斯基摩语，但是通过手势，他们让那群爱斯基摩人知道了他们的船被冻在了冰里，并且他们现在想找到一个可以捕猎鹿的地方。在那个冬季的末期，冰还没有融化之前，在距离大鱼河一天路程的陆地上，人们发现了 30 具遗体，在它附近的岛屿上发现了 5 具。

一些遗体已经被埋葬了（他们也许是饥荒的第一批受害者），一些在帐篷里，另外在船下面的一些遗体被翻转过来形成了一个庇护所，还有少数七零八落地散布在周围。岛上发现的遗体中，有一具应该是个军官，因为他的肩膀上绑着一架望远镜，他的枪则在他的脚下。其中几具残缺不全的遗体和水壶中的东西让人确信这个男人用尽了所有的资源去延长生命。一些银勺、银叉和银盘不仅刻着富兰克林爵士的字样，点缀着星纹，还刻有座右铭：困难不能阻挡我们。瑞伊医生从爱斯基摩人那里购买的这些东西，证明了这些叙述的真实性。

凭借这些东西，人们知道了这些不幸的水手们是怎么死去的。但是这次探险中到底发生了什么，还不得而知。船只和更多的船员后来都怎么样了？富兰克林是否也在爱斯基摩人曾看到的那群人里？或者在这之前他就已经死了？

富兰克林失踪已久，生死未卜，为了不放过任何一点儿希望，他的妻子决定用尽一切手段去寻找真相，因为英国政府将不再继续进行搜救工作。富兰克林夫人在她朋友的帮助下，建造了一艘小蒸汽船——"福克斯号"。英勇的麦克林托克主动请缨来

在冰封海域过冬

指挥这艘船前往北冰洋进行搜救，另一个军官霍布森上尉，也主动出面无偿帮助富兰克林夫人。

这艘船出发时，似乎一切条件都是不利的，因为在 1857 年夏季，梅尔维尔湾满是浮冰，无法通行。在格陵兰岛的海岸，"福克斯号"被冻在了冰里，经过了漫长而灰暗的冬季，大家都

詹姆斯·麦克林托克爵士

死里逃生。那长达八个月如同监禁般的生活，富兰克林夫人感觉自己仿佛回到那远在 1200 英里、北纬 63.5° 的大西洋。

1858 年 4 月 25 日，在经过了漫长的等待后，"福克斯号"终于得到了自由。在附近一个小型丹麦营地提供的物资支援下，"福克斯号"驶入了巴罗海峡。他们发现富兰克林海峡被冰牢牢封住，因此他们掉转船头，前往摄政王湾，最终到达了东部开放的贝洛特海峡。从这里，向西的通道再一次被冰封，在五次尝试通过它都失败后，"福克斯号"决定在海峡北部的肯尼迪港度过冬天。

第二年春天，麦克林托克进行了他的第一次雪橇旅行。在布西亚西南海岸的维多利亚角，他碰到了一小群爱斯基摩人。那些爱斯基摩人告诉他，几年前一艘大船在威廉王岛的西部被浮冰撞坏，但是船上所有人都安然无恙。

4 月 20 日，麦克林托克再一次碰到了那群爱斯基摩人。经过多次焦急的询问，他得知，除了那艘已经坏掉并且沉入海里的船，还有一艘坏得更厉害，但是那艘船有可能还被冻在冰上。那群爱斯基摩人补充说，就是在那一年的秋天，也就是 8 月或 9 月，当那艘船已摇摇欲坠时，船上所有的白人都出发往大鱼河去了，一个接着一个地乘小艇离开。然而在那年冬天，有人在大鱼河边发现了他们的尸骨。

这些有关富兰克林下落的消息很快得到了其他人的证实。5 月 7 日，麦克林托克听说那些去往大鱼河的白人遗体有一些被掩埋了，而另一些没有被掩埋。他没有亲眼目睹这件事，接下来的那个冬天，他们发现了那些人的遗体。

麦克林托克考察了那些探险人员撤退的必经之路。1858 年 5 月 25 日午夜后不久，当他慢慢地沿着附近的海滩散步时，凛冽的风不停吹散着雪，吹着雪地上的白骨，到处都是散落在外的破旧的衣物。

威廉王岛

麦克林托克说："这里的每一寸土地都需要仔细搜查，除去积雪，收集起来的每一块衣服碎片，被冻硬而无法打开的钱袋，都有可能成为确定这里死者身份的有利信息。死者是一名年轻男子，瘦小，也许略高于普通身高，他的穿着显示他可能是个服务员。这个穷困可怜的人似乎为了少走一些路，选择通过这个光秃秃的山脊，我们找到他时，他已经面部朝下坠亡。这是一个令人遗憾的真相，就像报道上说的，'他走着走着，便坠崖而亡'。"

同时，正在威廉王岛的西南海岸探索的另一支雪橇队的霍布森，取得了破纪录的发现，那是富兰克林的一个简洁记录本，记录了航行远征期间，当船迷航和被抛弃时候的事情。

下地后他们开始远足

记录本是 5 月 6 日在维多利角的大石堆上被找到的。记录本简单地叙述了在 1845 年，"厄尔珀斯号"和"泰罗号"花了一个冬天，已经通过惠灵顿海峡到达北纬 77°，从康沃利斯岛西侧到比奇岛，最后返航。1846 年，他们接着往西南部航行，穿过皮尔海峡和富兰克林海峡，然后到达了离威廉王地区北部末端 12 英里的地方，在那里，他们的旅途被冰阻挡了。约翰·富兰克林于 1847 年 6 月 11 日去世，享年 61 岁。就在他离世的前两个月，富兰克林完成了他充实、体面、成就非凡的航海旅程。从 1846 年 9 月 22 日那天起，他们的船队便受到围困，直到 1848 年 4 月 22 日，他们决定弃船。船队中军官和船员共 105 人，在克罗泽船长的指挥下，准备再次进入大鱼河，但是正如我们所见，他们最终并没有抵达目的地。

在土堆上发现的服装及各种物品数量远低于应该有的数量，仿佛这些人知道他们即将死去，然后就放弃了他们认为是多余的一切。

所有关于约翰·富兰克林下落的疑惑都一个个被解开了。他死在了他的船上，而他那些上岸的同伴们，因为走进了凄凉的荒漠，而没能幸免于难，一个接一个地倒下。

这两艘船就这样消失了，没有留下一点儿痕迹。富兰克林，有史以来在英国海军中最高贵的船员之一，他和他那英勇的船舶给世界留下的最后的东西就仅有一份文件、一些硬币和散落的碎片而已。

有一个奇怪的巧合：富兰克林的船是在富兰克林角和简·富兰克林角之间的高地出事的。这两个海角是在 18 年前被詹姆斯·罗斯发现并命名的。

约翰·富兰克林出生于 1786 年，1800 年加入海军，在海军军官学校学习，并且在哥本哈根继续服役。不仅如此，他还于 1805 年参加了特拉法战役。1814 年，他加入了远征新奥尔良的队伍，在那里他受了轻伤。他协助指挥修建加泰罗尼亚牛轭湖和密西西比河之间的运河。由于他立下了许多功劳，继而被推荐晋升。1829 年，他在第二次北极科考回来之后，被封为爵士。

富兰克林探险队遗物（1858—1859 年由麦克林托克发现）

第五章　以利沙·肯特·凯恩与艾萨克·I. 海耶斯

就航海中获得的激动人心的价值而言，没有一个北极考察队的收获能够比得上以利沙·肯特·凯恩医生的第二次和最后一次航行。为了避免中断瑞伊和詹姆斯·麦克林托克寻找富兰克林下落的叙述，我们就不按照时间顺序讲述了。

这个非凡的人，尽管身体羸弱，但是思想伟大。他曾作为外科医生参加了第一次格林内尔远征。1853年5月30日，他作为高级指挥官，乘坐"前进号"从纽约起航，船上共有官兵和船员17人。他的计划是通过巴芬湾，然后尽可能到达他能到达的最北的点，并从那里开始乘坐雪橇向极点进发，沿着海岸线搜索富兰克林的踪迹。

在路途中，他经历了与风暴和冰山的作战，1853年8月7日，他通过了史密斯湾①的群岩通道、伊莎贝拉角和亚历山大

---

① 巴芬在1616年发现了史密斯湾，在凯恩的冒险队伍到达那里之前，没有其他欧洲人或者美国人到过史密斯湾。他的旅程充满了艰辛和危险，但这更加凸显了他的勇敢。

角——一年前由英格尔菲尔德发现的海角。在航海图上，哈瑟顿角本是一处难以被航海者探索到的极值点，而英格尔菲尔德的发现却超越了探索哈瑟顿角所带来的价值。经过多次死里逃生，"前进号"最终进入了伦斯勒湾，那个曾经注定不会出现在地图上的地方。凯恩的日记为我们生动地展示了他们在这里度过的第一个冬天。这里在北纬78°38′线上，几乎快要到斯匹次卑尔根岛的最北端，而且这里的气候更加严酷。

船员的"安乐窝"

"1853年9月10日，鸟儿已经离开。当我们第一次到达这里时，海燕成群，甚至能将在我们身后送行的年轻市长带向南方。长夜中，没有人可以好好工作。再过一个月，我们将失去阳光。按照天文学的理论，阳光应该在 10 月 24 日消失，当然这是在视线没有被山峰遮挡的情况下。然而阳光总是被山脊阻挡，我们不能指望在 10 月之后还看到阳光了。

"9 月 11 日，群星闪烁的漫长夜晚已经跟随我们两个多月了。星星不停地闪烁着，我费力地伸展着我的脖子向着极北的地方看去，令人费解的是，北极星并不是直接在我们的头顶。这让我忍不住叹息，因为我几次从它的方位测量了我们距离极点的距离。

以利沙·肯特·凯恩

"10 月 28 日，月亮已经达到了它能到达的最北的纬度 25°35′N，它是一个明亮的物体，它的光辉能照亮整个星球，月亮最底部的曲线依然是地平线以上 14°。在这八天里，它以几乎不变的亮度绕着地球转动着。

"11月7日，我们被笼罩在无尽的黑暗中，日子的推移只能够靠钟表上的指针再一次指向同一个位置。我们仍然在漆黑一片的正午查看温度计，黑暗中我们连续五个小时看到了明显覆盖着白雪的群山，但是其余的全是黑的。昏暗的六等星在黑夜中发出微弱的光。除了在斯匹次卑尔根岛，还没有基督徒在这么高的纬度过冬。他们是一批受过特训的俄罗斯海员，具备坚毅的吃苦精神和耐寒力。还有90天我们就将结束没有阳光的日子，算起来，我们有140天身处黑暗。

"11月9日，希望我们能在黑暗完全到来之前到达海湾西南角的那个高地。中午我就决定要尽快到达那儿，因为现在我们的温度计显示温度是–23℃。那些坐在温暖的火炉边只研究理论的天文学家，他们难以想象在这么低的温度下观测天文的困难。在这样的低温下，呼吸，甚至是脸和身体散发的温度、烟气都能让六分仪的刻度弧和镜片结上一层细小的霜。不仅如此，在–55℃的地方去测量基线也是一个不凡的壮举。

"11月21日，我们有无数个计划来打发无聊而单调的冬季时光，一场化装舞会、一张报纸、一杯'闪烁的冰'，又或者在甲板上上演'狐狸绕圈追逐'。

"12月15日，我们最终失去了正午的光亮，看不到一丝光的痕迹，更不用说报纸了。我们低下头，都不能看到脚。正午和子夜变得毫无区别。南方的一点儿微光似乎勾勒出了南边山的轮廓。我们不能对自己说这个极北的世界里有一个太阳。黑暗，以及随之而来的惰性，让我们的思想都变成了徒劳的。为了提高疾病抵抗力，我们会强制大家兴奋起来。

"1854 年 1 月 21 日，长夜之中的第一丝光亮出现了，这道橙色的光短暂地出现在了南部地平线上。

"2 月 21 日，这段日子我们已经能够看到日光了，今天快到中午的时候，我成了我们这支队伍里第一个迎接阳光归来的人。我进行了入冬以来最长的跋涉和最艰难的攀登，虽然坏血病及全身虚弱让我无法长时间吹风，但是我设法实现了我的目标——我再一次看见了阳光。我坐在凸出的峭壁上，沐浴着它，就好像沐浴在芬芳的水里。"

帐篷内部结构

　　由此，这个可怕的冬天逐渐结束，已到了可以乘坐雪橇的时候，探险的成功基本就要靠雪橇了。不幸的是，在这个冬季肆虐的流行病中，最初跟随凯恩的九位优秀的纽芬兰人和 35 只爱斯基摩犬，总共只幸存下来六条生命。四月初的时候，他们又从爱斯基摩人的手上买了一些雪橇犬。

　　交通状况是如此艰难。1854 年 4 月 25 日，凯恩克服了各种困难，终于开始向北进发。他发现，格陵兰岛海岸的风景超过了伦斯勒湾，美得像一幅画。海岸边的悬崖拔地而起，有的甚至超过了 1000 英尺的高度，它们的姿态扭曲而怪异，好像建筑废墟。沿着海岸下方延伸的垃圾，流淌在南方正午的阳光下，像一条通向峡谷的人工堤道。此时此刻，其他地方的岩石也从最黑暗的阴影中慢慢显露出它们的样貌。就在这个光明的开口边缘的两侧，有岩石像三座塔一样，它们被称为"三兄弟塔"。

　　"再往前就将到达北纬 79° 以北，绿岩的一块悬崖矗立在一块破碎的砂岩后，它就像一个古老的城市轮廓，那么显眼。在它的北端，深谷边缘的一片废弃物中矗立着一座孤独的塔，这座塔的高度是 480 英尺，它的基座有 280 英尺高。那番情景实在让我们感到震撼，同伴们当时的神情我始终记忆犹新。虽然我同样经受着病痛和寒冷，但我带回来一张读者可能感兴趣的图片，尽管它并不像其他伟大的地标性建筑那样宏伟。"

凯恩和他的同伴们在他们的船上

无论它多么引人注目，又是多么宏伟壮丽，但是那里没有岩层，只能称其为冰山，凯恩将它命名为洪堡特。其坚实的、如同玻璃一般的外墙，从透视的角度看是一个非常棒的楔形。它露出海面的高度有300英尺，而在海平面以下的深度无从得知。冰山朝阿加西角延伸到福布斯角，长约60英里，蜿蜒曲折，最后消失于视野之外的不明地域——从极地出发，乘火车赶上一天的路程才能抵达那个地方。

地面布满了雪堆，迫使探险者们卸下雪橇、背上行囊，驱赶着他们的狗继续前行。就在5月4日，大冰川出现在他们眼前。但是，这个收获让他们付出了巨大的代价，因为这让他们用尽了最后的力气。

"我全身忽然疼痛起来，"勇敢的探险家说，"然后我就晕倒了。我的四肢变得僵硬，和坏血病一样，一些破伤风症状出现了。我被绑在雪橇上，队伍像往常一样行进着，但我的能量流失得如此之快，以至于我无法抵抗 –5℃ 的温度。我的左脚变得冰冷并且行动迟缓，在晚上更为明显；我的四肢由于水肿积液变得无法动弹。5 月 5 日，每当我从帐篷走向雪橇，我就会出现神志不清或眩晕的症状，我完全屈服于病魔了。我的战友们会

准备"装袋"

亲切地劝说我，如果我继续这样病下去，我们将不能继续我们的旅程。雪下得非常大，并且越来越大。有些积雪的地方完全无法通行，而且四五英尺深的积雪下有的还会有危险的浮冰。

"坏血病在人群中暴发，症状与我自己的一模一样。莫尔顿，这个我们之中最强的人都已经快要死去了。我认为他们分享我的脆弱完全起不到安抚我的效果。我所能愉快地记住的事情，都来自我那群勇敢的伙伴。他们很少外出旅行，而我却对自己照顾很少。

"他们加紧前行将我带回去，5 月 14 日，我被带到了封闭的治疗室，在一个星期内我多次挣扎在死亡线上。海斯医生认为这是伤寒并发症，我受到了坏血病的侵蚀。"

幸运的是，有着温暖阳光的夏天快要到了。海岸上开始出现大量的海豹，如今我们对鲜肉不再有太多的需求（这是对坏血病的主要灵丹妙药）。探险队举着彩旗回到了位于冰冠①上的驻扎地。海鸥和绒鸭飞向了它们北方的繁殖地。

植物以令人惊异的速度生长着，倾斜的绿地不仅使人眼前一亮，还让人得到了许多多汁的、抗坏血病的草药。

凯恩的健康正在逐步恢复。然而，他不得不放弃在这个季节里更加深入的雪橇旅行。他把他的执行计划留给了身强力壮的同伴们。

---

① 冰冠又称冰帽、冰穹，外形与大陆冰川相似，穹形更为突出的覆盖型冰川。——编辑注

因此海斯医生在通过了东北方向的海湾之后，到达了格林内尔土地，在这里，他最远探查到了北纬79°45′的弗雷泽角。

由于冰过于破碎又很坚固，这次旅行进行得非常缓慢。积满雪的深洞被阻隔在了超过30英尺的小丘之间。

必须要用很大的力气才能把这些雪橇举起来，所以这支队伍中的大部分人都得用尽全力才能把雪橇从雪地里弄出来。海斯先生在6月1日返回，几天之后，莫尔顿离船出发，开始对格陵兰岛海岸附近的大冰川进行测量。他们遇到了十分巨大的困难。除了在小丘上有那些可以预料到的困难，在这样的季节里，还有许多地方都十分危险，比如，他们有可能在海边遇到会断裂、能把人完全摧毁的冰架。因此在旅程的最后几天里，莫尔顿不得不在海边的岩石上辛苦工作，而那海水就像他所熟悉的南方海域的海水一样，一直不停地冲刷着他的脚。1854年6月26日，莫尔顿和他的爱斯基摩同伴到达了宪法角。这是一个十分危险的地方，那里的海浪拼了命地拍打着高耸的峭壁，使得任何船只都难以从那里经过。从一处岩石攀爬到另一处岩石，将希望加倍寄托于海角，莫尔顿站在了这次航行的终点处，他从高达300英尺的地方看着茫茫的水域伸展向未知的北方。许多海燕、海鸥、黑雁和野鹅随着汹涌的波涛，发出嘈杂的叫声。生长在石头缝中的花里，掺杂着一种十字花科植物（香花芥草），这种草的干荚中还包含着很多种子，在冬天的肆虐中幸存了下来。从宪法角海岸到华盛顿地区之间的偏东

一份艰巨的工作

南方、在海峡开阔水域的远处，我们可以看到一座高峰，这样的冰山景致与斯匹次卑尔根岛的群山完全不同。这座高峰有2500—3000英尺高，是当时人们所探知过的最北端，那里被叫作帕里峰。

远海

对于这一大片茫茫的水域，凯恩把它比作开放的北极海。因此，当他站在旅途的终点看着面前的汪洋时说道："这真是一个壮阔的景象。"用他自己的话说，看不到"一丁点儿的浮冰"。他在高达480英尺、能看到40英里地平线的地方，愉悦地倾听着激荡的水流演奏出奇妙的音乐，看着那浪花在他脚下的岩石上横冲直撞，然后撞得粉碎。莫尔顿把这个海角以他船长的名字命名，但是这个海角更广为流传的名字就是

"宪法角"。每个人都渴望能乘船荡漾在这片光明而平静的水域之上。

"一直以来，极地海域，或是开放的极地盆地，在很长一段时间内都只是理论性的话题，它在一定程度上被实际的发现所遮蔽了。根据最早的历史记载，早在1596年（巴伦支），人们就已经在新地岛最北端海岸的东部发现了大片水域。而直到它被直接调查限定了其范围时，人们才开始认为，它就是一片海洋。斯匹次卑尔根岛上和周围的荷兰渔民将他们的巡洋舰驶过浮冰，驶入开放海域。而这些开放海域中的季节和季风的范围、

莫尔顿在宪法角

形式都很不同。在进行关于在北方（包括北极附近的海域洋流中）浮冰可以自由流动的观点的辩论时，斯科斯比就将这种浮冰中的缺口作为一个论点进行阐述。巴伦·兰格尔在距亚欧大陆北极海岸 40 英里处认为自己发现了一处'广大无边的海洋'，不过他却忽视了在一片球体表面，人的视线是十分狭窄的。而更晚些时候，彭尼船长宣布在威灵顿海峡上发现了一处海域，而他所认为的那个地方就是贝尔彻曾经放弃他的船只的地方。而我的前任，恩格菲尔德船长，在他那艘小船的桅顶发现了一处'开放的北极盆地'，就在离一处冰山 15 英里的地方；而就在第二年，这处浮冰阻碍了我们前进的步伐。

"毫无疑问，所有的这些貌似是真实的发现，都是被真实地记录下来的。如果不在这个领域的话，即使在一个更大的范围里，那么或许在别人看来，我也同样会犯这样的错误。然而，同别人不同的是，我所冒险去他们称之为大海的那个地方，我一定已经沿着它的海岸航行了几英里的距离，并且已经从 480 英尺高的地方观察了它的全貌。在没有限制的行进过程中，绕过了一个没有冰的山丘，并且在一个岩石林立的海岸边的海水里，勇敢地前进。

"在回顾与这个发现联系起来的事实的时候，人们一定会被北极附近的温和气候惊得目瞪口呆——岩石上的雪融化了，海鸟成群地聚集起来，虽然数量有限却还是在生长着的植物，还有不断上涨的水温。"

凯恩的双桅横帆船

　　此时，这个短暂的夏天正在慢慢过去，并且只要眼睛所能看到的地方，冰还是顽固地不肯化去。很明显，要等到船能够从冰中驶出来还要等一些日子，但是要等到那时候估计冬天都到了。有经验的人已经知道将要到来的惨淡的前景，那就是在北纬 79° 可以经历到的可怕的极夜。但是此时他们的身体也开始虚弱下去，燃料也开始不足。他们一点儿也没有准备好再在这里过个冬天。凯恩的很多同伴们都认为应该立刻弃船，不要继续在这个冰封的荒原待下去了。

　　即使要正视这个即将到来的冬天是一件很可怕的事，凯恩的决心也是不可动摇的。8 月 24 日，关于船能够解冻的希望已经彻底破灭了。他把全体船员都召集到一起，并且向他们很坦率地解释了他是出于什么样的考虑才决定留在此处的。在之前，弃船是不合适的，而在这样的季节出发，也几乎是不可能到达乌佩纳维克的。然而他又对船员们说，如果有人真的想要尝试的话，他将完全允许他们前往，而且答应说，如果试着出发去往乌佩纳维克的人失败归来了，他一定会像欢迎兄弟一般欢迎他们的归来。之后他按着船员名册点了名，每个人都说出了自己的决定。在这 17 个人里，有 8 个人决心在这里守着船，其他人于 28 日离开，船上的所有器具都将被这些人带走，用于保护他们。当他们走远了之后，严峻的现实使他们不得不为了留在身后的那些人而加倍努力。

人数的减少、很多人心中的无助、所有人正在降低的工作效率、即将到来的隆冬、极夜的黑暗、资源的日渐匮乏，还有孤独的沉闷感——这些都堆到一起，使他们压抑不堪。但是他们的领袖依然精力充沛，让他们没有时间去细细琢磨这些悲观的念头。凯恩让他们积极地工作，让他们为了即将到来的漫长而寒冷的极夜，尽可能地做好准备。

他虚心地向爱斯基摩人学习他们搭建住所的方式和他们的饮食结构。爱斯基摩人的生活方式既节约又能保持整洁，并且这些方法是最安全、最优良的，非常值得借鉴和运用。船甲板上垫了很多的苔藓和草皮，以建立一个防寒层。在下面有一个大概 18 平方英尺的密闭空间，从地板到天花板都使用了一种非导热材料，这样的空间是有很多用处的。地板本身已经经过了仔细的填塞，铺上了几英寸厚的马尼拉棉絮，还铺上了一层厚帆布。入口处是一个低矮的、苔藓铺砌起来的隧道，并且独创性地用很多的门板和窗帘把它合拢了起来。大团大团的雪也被堆在了船体的两边，以御防寒风的侵袭。

所有这些在寒风中的辛苦劳动都非常好地锻炼了这些人的身体，他们的精气神也一天比一天好了起来。他们还同冬季定居在伊塔和阿诺托克的爱斯基摩人建立了友好的关系。这些爱斯基摩人的定居点就分别在距离船只大概 30 英里和 70 英里处。由于他们给了那些爱斯基摩人一些针、大头钉和小刀作为礼物，所以那些爱斯基摩人也很慷慨地回赠给他们海象和新鲜的海豹肉，并且还告诉了这些白人在哪里能捕到这些猎物。他们一起组成了捕猎队伍，进行了礼节性和必要性的互访，甚至一些人还建立了个人感情。只要他们的船还被困着，他们就应该感谢这些野蛮的爱斯基摩人，因为受到了他们的帮助，也因为这些爱斯基摩人在帮助他们狩猎、与他们一同寻找猎物时，给了他们这么多无价的忠告。

在关键时期，爱斯基摩人向他们提供肉类，他们也回报给爱斯基摩人很多东西。总而言之，如果没有这些土著人的话，凯恩和他的同伴们很可能已经死在了寒风中。而对于爱斯基摩人而言，他们也学会了把这些陌生人当作恩人，并且为他们的离去而恸哭。

12 月 12 日，弃船前行的那群人回来了，他们并没有成功到达南方。尽管如此，正如他们当初得到的承诺那样，受到了亲如兄弟般的欢迎和礼待。他们遭受了严寒，缺少食物，还有在荒野之中行进的疲劳。

凯恩说："温度计上的数值指向了 -50℃，这些回来的人身上都结了霜，都要饿昏了。我们必须小心翼翼地把他们带到下面去，因为经过了如此大强度和持久的行进之后，隔间里的温度可能会让他们受不了。他们已经走过了 350 英里，并且他们最后在伊塔附近海湾行进了 70 英里——这个过程都是处在这样可怕的温度中。他们一个一个地进了隔间，被妥善安置。真是些可怜的家伙！在炉子旁边，我们给他们穿上爱斯基摩人的衣服。当我们把这些微薄的帮助提供给他们的时候，他们多么享受啊！咖啡、肉饼汤、糖浆和小麦面包，甚至是咸猪肉，由于害怕得坏血病，我们都不敢碰这些东西。而他们是多么享受这些啊！他们已经靠着冰冻的海象肉和海豹肉活了不止两个月了。"

凯恩凭着他不弃船的决心，成了他全部同伴们的救星。如果他的决心不那么坚定的话，或者在与这个可怕冬天的斗争中失败了的话，他们现在会是什么样呢？

"2 月结束了。"这个英雄探险家说，"感谢老天让 2 月只有 28 天！要是将要到来的 3 月里的 31 天不拖累我们的话，我们就有希望为这场沉闷的戏剧画上一个成功的句号了。到了 4 月 10 日，我们就能逮到海豹了。而当海豹来了的时候，那我们就真的已经得救了。但是要对目前的形势作出客观的估计的话，我觉得我们还需要面对很多挑战和凶险。坏血病正在逼近我们，我已经尽了最大的努力。但是，只要我建立起一个稍微好点儿的局面，那么很快就有更凶险的局面在等着我。我们六个人之中，已经有两个无法去做我一个月前希望他们完成的户外工作了，剩下的四个人就只能把这些活分着干完了。我们劈开了五大袋冰，把六英寸长、八英寸粗的锚链切成一英尺长的段，吃饭的时候分发肉、冲糖浆，用撬棍砍削猪肉和苹果干，倒脏水和打扫房间。总之，就是做饭、打杂儿、伺候病人。除此之外，连续五天我都从晚上八点站岗到早上四点，而且在白天不换衣服就小睡一觉，因为我得时刻小心地盯着温度计上的计数。"

3月，更多的痛苦降临了。船上的每个人都得了坏血病，大概只有3个人能够照顾别人。其他的人都在床上躺着，几乎不能动。如果凯恩也病倒了的话，那么整个队伍就会缺了主心骨，那他们就一定完了。

此时，弃船已经成为必然。因为要是坚持在伦斯特湾再过一冬天，那他们就全都必死无疑。但是在小船出发驶往开放海湾之前，他们必须得做一系列的准备，而此时他们队伍中的大部分人已经羸弱得动都动不了。所以凯恩不得不去往大格拉希尔，向那里的爱斯基摩人求助。

终于，1855 年 5 月 20 日，船队整体去往阿德万斯，开始了他们缓慢、艰辛的归途。经过了拖船过山丘的大量艰辛劳动后，在 6 月 17 日星期天晚上轻柔温和的月光里，他们终于站到了开阔的大海边上，但是他们还是要过上 56 天才能到达乌佩纳维克港。让这段旅程变得危机四伏的并不是暴风或浮冰，而是他们必须得与饥饿做斗争。当他们终于到达了这处开放的海港的时候，他们却发现去往大西洋的航线上充满了浮冰。他们的这 50 艘不适合航行的小船需要不断地补给和帮助才能继续航行。他们的力气越来越弱，已近需要警惕体力透支的程度：他们呼吸沉重；他们脚肿得厉害，不得不把鞋子割开；他们完全睡不着觉，划船和往船外舀水也变得更困难。

正处在这场不幸的危机中时，他们看到了一只很大的、趴在一小块浮冰上的海豹，看它的样子，似乎已经睡着了。

"我们焦急得都开始发抖了，"凯恩说，"我们准备爬到它跟前。皮特森握着一把大型英国步枪，待在船头，船桨上缠上了丝袜，以作消声器。当我们接近这只海豹的时候，我们真是太激动了，以至于皮特森都快握不住枪了。这只海豹没有睡着，因为正当我们要开枪射击的时候，它把头抬起来了。我记得，那天当我们看向皮特森的时候，他消瘦的脸上浮现出的表情是艰难的、忧心忡忡的，甚至是绝望的。我们的性命全都押在他这一枪上了。我紧张地把手压下，以便作为开火的信号。麦克加里划起船桨，船只缓慢地但持续地在前进，在我看来船一直以匀速缓缓前进。我看着皮特森，那个可怜的家伙几乎都要紧张傻了。他徒劳地想要靠着船帮喘口气。那只海豹把前鳍收拢，紧张又好奇地看了看我们，时刻准备着跳进海水中。就在这一瞬间，伴随着我们的枪声，这只海豹放开了怀里的冰块，头无助地向一边歪去。我本来并不是要让他在此时射击的，但是很明显，他并没有听我的指令。每个人都大叫，激动地喊着。他们把船开向那块浮冰，大家七手八脚地把海豹抓起来，放到一块更加稳固的浮冰上去。这些人看起来都半疯了。我并没有意识到，我们被严重的饥饿折磨得居然这么惨。他们在浮冰上跑来跑去，又笑又叫地挥舞着刀。不到五分钟后，大家不是在吮吸着他们沾满海豹血的手指，就是在吃着生的海豹肉了。这只海豹从头到尾一点儿渣都没有被浪费掉。"

皮特森和海豹

一两天后，我们又打到了一只海豹。从那以后，我们终于有了一个稳定充足的食物供给。

凯恩在消失了30个月后，终于在1855年10月11日返抵纽约，他受到了十分热烈的接待。大西洋两岸的人都给予了他当之无愧的荣耀。但是他原本就虚弱的身体却在这次旅程的考验中被完全摧毁了。1857年2月16日，他在古巴的哈瓦那去世，年仅37岁。我们失去了他这样一个高贵的人，一个真正的英雄。他的名字将会在世界著名航海家的史册中名垂千古。

1860年，艾萨克·I.海耶斯，凯恩航程中的成员之一，又一次怀着进一步完成对肯尼迪海峡探索的心愿出发了。如果可能的话，他想到达他们所坚信存在的北极海海域，因为其存在对他来说是一个坚定的信仰。莫尔顿随凯恩一起的探险，进一步证明了这片海域的存在。在几次从冰原和冰山的逃亡之中，他的帆船"合众国号"，终于被迫在格陵兰海峡的福特港过冬。该港口位于与伦赛特港同纬度地区以南20英里处。幸亏有充足的鲜肉供应（附近地区生活着很多驯鹿），而且毫无疑问，多亏了船上众人的乐观精神，他们才没有患坏血病，安全度过了这个冬天。但是，海耶斯为将要到来的春天准备的雪橇犬，大多都因得了流行病而死，这种流行病也曾在凯恩船队中肆虐横行过。

幸运的是，友好的爱斯基摩人允许他们购买或者借用一些雪橇犬。于是，1861年4月，海耶斯离开了他的船，进入了冰冷的荒原。由于已经事先确认过，他们不可能经由格陵兰岛海岸前进，所以他决定穿越海峡，在格林内尔地区的海岸碰碰运气。用他自己的话说，他遇到的困难会让他想出最好的解决办法。

艾萨克·I.海耶斯

"在选择了一条不太可行的路线之后，通过绕到右侧或左侧，还有偶尔的折返，我们打算轻松地克服前几英里的路程。但是在路上走得越远，路就越不好走，就好像是大堆大堆杂乱的石头堆放在广阔的荒原和无休止的山脊上，中间的平坦过道只有一英尺宽。这些掺杂着冰块的石堆间，从某种程度上来讲，已经被积雪填满了。你应该很容易想象剩下的情形了。你应该可以想象到，我们的雪橇从蜿蜒的碎冰中穿行，人和犬只各自推拉着自己的负载。你可以想象到，我们攀爬在崇山峻岭之中，并没有捷径可以穿行，只能在山间爬上爬下。时常有雪橇掉到悬崖下面，有时会翻倒，有时会被摔断。你还可以想象到，我们的队伍试图穿过山峦，或者找到一个通道能让我们过去，就要用铲子和手镐开路，有时即使使用了这些工具都不能实现穿行的目标，所以只能退回去重新寻找方法。或许我们有时候很幸运，可以找到裂谷或者是山口，然后就要在这样崎岖不平的路上行进一英里左右的路程。积雪有的时候能提供便利，有的时候却是一种阻碍。积雪的表面都很硬，但是却不总能踩得实。雪壳经常会被踩塌，这真是一种让人恼火、心烦的情况。这种雪壳不太能承受重量，而当人走路时，一只脚抬起，那另一只脚的重量就一定会增加。但是更糟糕的是，山丘之间的缝隙中经常像这样填满了积雪，却在积雪底部留下了一个相当大的空间，而在表面上看起来又很正常。如果队伍踩上去的话，那么雪壳就会崩塌，把一个人埋半截，另一个被埋到脖子，再后面的一个人会被全埋起来，雪橇也会翻掉。通常如果遇到这种不幸的情况的话，我们就要处理几个小时。很难想象，还有什么情况比这个更令人沮丧，或者说还有什么能比这更快地削弱人畜的力量了。力量逐渐地耗光了，而正如在长时间艰苦工作之后的情形一样，我们干完了活之后再回头看过去，几乎要向我们陷进去的地方开一枪，因为这实在是太让人沮丧了！"

　　毫无疑问，就是因为如此，他们跋涉了 25 天，却连到海峡一半的路程都没有走到，但是他们全部都精疲力竭了。然而他们勇敢的领导坚持决定，不放弃自己的计划——因为还是有微弱的希望能够成功的，这样就能把大部队送回到帆船上去。所以，他选定了三个伙伴，他们四人继续投身到山丘中去。这三个人分别是延森、麦克唐纳和诺尔，还带了 14 只犬。经过了 14 天的几乎非人般的努力之后，他们终于抵达了海峡，沿着海峡开始了一段似乎不那么恼人的行进。在第 15 天，延森，队伍中最强壮的人，完全筋疲力尽了。海耶斯把他留给了麦克唐纳照料，然后和诺尔两人继续前行。直到 5 月 18 日，他们终于到达了海湾的边界。而从那里往北更远的地方就充满了冰和裂缝，已经无法前行了。就在他面前，海湾对面的帕里山上，从华盛顿地区海岸来的莫尔顿，在 1854 年第一次看到了这座高耸的山峰；更远的一个大型的岬角——由宁角，也是迄今为止人类在地球上所知的最北点，就静立在海域模糊的轮廓上，映衬着辽阔的大海的夜空。因此，海耶斯把北极旅行的荣誉都归功在帕里身上。

他在日记中写道："所有的证据都表明，我站在了北极盆地的边缘，辽阔的海洋就躺在我的脚边，我所站着的那片土地，一直蜿蜒伸向远方的海角；然而，那只不过是一片海角远方的小小土地而已，就像是西伯利亚对面的塞韦罗·诺斯岛①。海岸边冰块的边缘正在逐渐消融，在一个月内，整片海域中的浮冰，

---

① 该岛的位置大概在英国设得兰群岛。——译者注

像我所看到的巴芬湾北部的水域一样，都会融化，只会剩下那么一两块，在风和洋流的挟带下，来来回回地漂荡。"

7月12日，"合众国号"已经从冰封的束缚中摆脱了出来，而海耶斯又一次试图到达对面的海岸，继续他对格林奈尔地区的探索。但是这艘帆船太残破了，已经无法通过充满了浮冰的航线。所以海耶斯不得不返回波士顿。

当他回国的时候，内战①正处于高潮阶段。他立刻给总统写了一封信，请求谋职于公共服务行业，并附上材料证明他是这一职业的不二人选。后来，他被任命为卫生官员，处理"不愉快的事"。他于1869年前往格陵兰岛，并收到了巴黎与伦敦地理社颁发的金牌。1872年，他所著的书《荒芜之地》正式出版。

由此，他结束了他非凡的航海生涯。由于他丰富的经验，他完全相信，即使在史密斯海峡毫无供给的环境中，人也能生存。因此他建议，在福克港建立一个自给自足的殖民地，并以此作为进一步殖民扩张的据点。而他的这一想法却没有找到任何合作人。就在这种最不利的情况下，他还是凭着顽强的毅力在他前辈探索的基础之上，向西北方推进了100英里。帕里山和北极之间相距480英里，因此保守地估计，如果在旅程中有另一方的物资供给的话，那么探险队或许至少能够穿越帕里山顺利抵达北极地区。莫尔顿和海耶斯都发现了处于肯尼迪海峡

---

① 内战即美国南北战争。——译者注

另一端的开放海域，这给每艘穿越了冰封的史密斯海峡的大船都提供了平等的成功机会。或者说，如果有船被绕过海峡运过来，又被扔到海峡的水域里，那它就有机会成功，虽然船是不可能这样抵达此处的。

谢拉德·奥斯本船长，也非常支持这条航线，并致力于维护英国政府的利益。但是权威的科学观点认为，如果尝试从斯匹次卑尔根岛到达北极，可能会在中途发现一条更方便的通道。通过岛的东部，墨西哥湾的暖流会将相对温暖的海水带到东北部，并且这些温暖的海水或许可以抵达北极点。帕里所到达的北纬82°45′处正是斯匹次卑尔根岛的北端，而1837年赫尔的"真爱号"在东经15°、北纬82°30′处穿越了一处十分优良的开放水域。如果这艘船继续前行的话，那么它或许会到达北极点，就像它到达的那个高纬度点那样简单。

第六章　霍尔航海记：北极探险

查尔斯·弗兰西斯·霍尔，于 1821 年出生在新罕布什尔州的罗切斯特。在早年，他曾是一名铁匠，之后移居到辛辛提那，在那里他成了一名记者。他对北极旅行和富兰克林的生平十分感兴趣。1860 年，他试图追寻富兰克林的踪迹，却遭遇了一场事故，于是他在进行了长达两年零三个月的旅途之后就返航了。

1864 年，他又一次起航，并且到达了赫克拉海峡。他带回了关于富兰克林的大约 150 件文物，并断定富兰克林实际上已经发现了西北通道，且确定了一个可悲的事实，那就是富兰克林一行人中的大部分人已经在威廉国王的领土上死于饥饿，而他们的尸骨就躺在那皑皑白雪之上。

霍尔花了五年时间用来建立和爱斯基摩人的友好关系，并且住在他们中间得到了他们的信任。他确信"泰罗号"的克罗泽船长也于 1864 年同爱斯基摩人住在一起。他相信富兰克林一行人中部分同行人员仍存活的其他证据还包括：没有任何一个北极探险家比约翰·富兰克林更知道，新鲜的食品供应对手下的重要性，并且他对这种必需品的供给做了充分准备。

为了证明这一点，霍尔在官方文件中发现，"厄尔珀斯号"和"泰罗号"上载有充分的新鲜供给，包括腌肉、汤、蔬菜和十头活牛。此外，富兰克林于 1845 年 7 月 22 日离开格陵兰海岸的时候，已经告诉了捕鲸船队的马丁船长，他有足够的可以度过五年之久的供给品；还有，如果必要的话，也可以用这些补给品度过七年。并且，他是不会放弃任何可能碰到的捕猎活动的，因为他早已有了捕猎的想法。还有些可以确信的原因——比如，他的手下在惠灵顿海峡的海岸上，特别是贝利哈密尔顿岛附近发现了大量的活体动物，并发现富兰克林曾将狩猎队伍用雪橇送往很远的地方，而这些雪橇的痕迹是在六年后被凯恩、德·黑文、奥曼尼和奥斯本发现的。

查尔斯·弗兰西斯·霍尔

霍尔根据事实说道，他对救援工作的期望，是建立在多年仔细研究和检验相关文献的基础之上的，而且他的呼吁是朴素而有力的，"为什么要等到我们知道了所有真相，才再去尝试新的探索呢？"

1869 年 9 月，霍尔在发现了将近 300 年前的佛罗里歇遗址，随后就回国了。但是直到 1871 年，他才开始率领"北极星号"进行北极探险。9 月 29 日，他从纽约出发。贝塞尔作为博物学家，也参加了这次航海；同行的还有凯恩探险队的一名成员。泰森船长，故事中的重要人物之一，在歌德海文也加入了"北极星号"；汉斯，一名猎手，在乌佩纳维克加入他们。

"北极星号"

8月21日，"北极星号"按照凯恩的路线航行。霍尔到达了"阿德万斯号"被丢弃的地点，之后稳步前进，抵达了人们认为是"开放的北极海"的那片海峡。他到达了北纬82°6′处，而"北极星号"却在此被冰封住了。迄今为止，他们的一切都是顺风顺水的。他们在9月到达了冬季居住点，并且把这个地方命名为"感谢上帝"海湾。此处的地理位置为北纬81°31′，西经61°44′。

对于霍尔而言，冬天是至关重要的。从为期数天的雪橇旅程回来之后，他就生病了。在这场他与爱斯基摩人和他的大副（切斯特先生）共同负责的探索之中，他到达了北纬82°的一处海湾，并将其命名为纽曼湾。他刚刚染病的时候，病情并不严重，但他后来逐渐瘫痪，并在1871年11月8日逝世，留下巴丁顿来领导众人。

"昨晚，"泰森说，"船长认为他好点了，并且认为很快就会好转了。但是到了晚上，他似乎变得更糟糕了。巴丁顿船长过来告诉我，他认为霍尔船长可能不行了。我立刻起床，到船长的房间里看他。他已经没有意识了——什么也不知道。他脸朝下趴着，急促地喘着气，脸埋在枕头里。他大概在凌晨三点半去世。我们一起在距离船只半英里的陆地上给他准备了一个坟墓。但是地都冻上了，用镐头都敲不开，所以坟墓刨得很浅。"

在泰森船长的日记中，我们发现了另一处关于11月11日的记录，其中这样描写了这个多事之冬：

1871 年 9 月"感谢上帝"海港的"北极星号"

"上午 11 点半，我们把指挥官埋在了这片冰封的土地中。就算是到了这个时候，天还是黑的，所以我们不得不点上一盏灯，给布莱恩先生照明，他才能看清那些祈祷文。我觉得除了管家和厨师之外，船上的所有人都到场了。这是黑暗的一天，就如同这一天发生的让人悲伤的事。这个地方也是极端崎岖和荒凉的。远处的天边泛起了惨淡的光。我们透过这暗暗的光可以看到，我们周围尽是些石板和石块，像一个个路障一样围着我们，保护着中间的土地。在这些崎岖的小山丘之间是冰雪覆盖着的小平原。在我们身后是冻结了的北极星湾，岸边也散落着巨大的冰块。他们称之为天文台的那个小屋子，被搭在高高的桅杆上，这是我们所能看到的唯一让我们觉得欣慰的东西。而今天，桅杆上的旗子也降了半旗。

"今天早上我们去墓地的时候，棺材就拖在雪橇上。没有柩衣，只好用美国国旗代替。我们都排着队前行。我打着灯笼，在前面走着；后面跟着船长、军官、机师、贝塞尔先生和迈尔斯先生，再后面就是用一根绳子拉着雪橇的船员，右边是一个人提着灯。船员后面的爱斯基摩人几乎都穿着兽皮，盯着我们，因为我们实在是太不像一支送葬队伍了。北方的天空中泛起了奇怪的光，有点像电火花。这时候是上午 11 点，我们正在去墓地的路上，星星透过这些光仍然在闪耀着。"

就这样，霍尔彻底揭开北极秘密的雄伟计划破产了，他的满腔热情也就这样熄灭了。

冬天的其余时间，他们都在探索。但是巴丁顿却没有继续霍尔的遗志。1872 年 5 月，泰森、迈尔斯和两个爱斯基摩人开始了一次雪橇旅行，并且猎到了一些麝香牛。而在夏天进行的航海活动中，巴丁顿也大大地放宽纪律，所以原计划的航海活动根本无法继续下去。就像其他的船只一样，"北极星号"随着海上的浮冰漂来漂去，着陆在了凯恩之前的位于史密斯海峡的冬季宿营点。

10 月，一场对船员们来说是致命的恐慌蔓延开来。"北极星号"被冻住了，从所有的描述来看，似乎"冰上大师"巴丁顿完全镇定不下来了。他下令，把船上的一切物资都扔下去。人

霍尔船长的葬礼

们遵从了他的命令，结果可想而知：船的重量改变带来的上下起伏把冰面打破了，扔到冰面上的物资都散落在冰中。泰森船长和一些机灵人，带着爱斯基摩人和他们的妻儿，下船去收集散落的物资。

正在他们都忙着整理物资的时候，传来了一声可怕的撕裂声——是冰面爆裂的声音。冰面的很多地方都裂开了口子，"北极星号"终于摆脱了冰面的束缚。冰面上的人们还没来得及回到船上，或者说还没意识到这样恐怖的一个情况，"北极星号"就冲入了黑暗之中，并且消失不见了！

这真是场可怕的灾难。海上的浮冰上有 19 个人，而他们没有多少食物供给。逃生的唯一希望就是两艘小船。这两艘小船就在离他们不远处，但是松散的浮冰却使得他们根本不能接近这两艘小船。"北极星号"又重回了他们的视线中，然而根本没注意到他们的呼救，所以这些人不得不继续漂在这块周长四英里的浮冰上，但是他们却并没有把握，不知道这块浮冰会不会马上断裂。

浮冰仍然在漂动。冰上的碎片不时落到海水中。16 日，最恐怖的事情发生了——冰从中间断裂开了，这些漂流者和他们的物资被隔在了浮冰的两边。他们终于用小船把另一片冰上的物资收集了起来，又找了一块新的浮冰，并让那些爱斯基摩人用他们的方式在那里建起了一座新的冰屋。

时间一点点流逝，10 月过去，11 月来了。食物变得越发短缺，他们不得不组织起探索队去捕食。他们捕获了两只海豹——这两只海豹似乎比它们机警的同伴迟钝了点。而此时，他们几乎已经杀光并且吃掉了所有的犬只，他们迫切需要新鲜食物。这两只被捕捉到的海豹被很合理地杀掉并分配了，他们还喝了海豹的血。"把眼睛，"泰森船长说，"给最小的那个孩子吃了。"（海豹都被肢解开了，按照不同位置的好吃程度被分给不同的人。人们普遍认为大脑是最美味的部位。）

1872 年 10 月 15 日缺口处

我们在此处不需要对这个漂在冰上的队伍的日常任务和事务进行详述。在 1873 年 1 月 19 日他们乘着的那块浮冰到达了戴维斯海峡，一缕阳光使得他们的精神为之一振。这样的话，如果他们继续向南前行，情况就会越来越好。德国的海员们在航海过程中表现得并不好，这给他们造成了很大的困扰。但幸运的是，航程中他们并未长期受到来自外界的滋扰。

3月初，这块浮冰到达了坎伯兰湾。3月11日，随着一声可怕的噪音，冰块又断裂了，使得队伍中所有的人都集中在了一小块冰上。但幸运的是，这块冰还算厚实。就这样，人们在这块冰上继续向南缓缓漂流。此时他们已经可以捕到大量的海豹，一个爱斯基摩人还打到了一头熊。之后浮冰又断裂了一次，在这之后事情变得更加糟糕。一阵大风把他们的被褥和帐篷刮走了，要不是他们及时紧紧抓住了小船的话，那恐怕连船都被

穿越冰层

吹飞不见了。他们保住了船，却没有了居所，将近有一半人被冻伤，肚子也饿得咕咕叫。4月末，三艘轮船先后出现。尽管这些漂流者们做了一切能够吸引别人注意的动作，但是他们还是直到3月30日才被一艘蒸汽轮船发现，这艘蒸汽轮船是来自纽芬兰的"泰格里斯号"，这艘船发现了他们，并把他们从危难中解救了出来。5月12日，他们全部抵达圣约翰。

同时，由于"北极星号"还迟迟没有返航，美国海军的格利尔船长率领"泰格里斯号"前去寻找"北极星号"。"泰格里斯号"抵达利特尔顿岛，并在那里发现了一个爱斯基摩人的营地。这些爱斯基摩人都穿着从"北极星号"上得到的衣服。但是在搜寻和盘问之后，他们还是没有找到"北极星号"的船员。于是格利尔船长又返回了圣约翰。他们到达了纽约，并且听说巴丁顿一行人在几个月前已经被一艘捕鲸船救了。于是这次北极探险中，命途多舛的船员们最终都安全返回了自己的故乡，除了他们勇敢热情的领导者。

命运坎坷的"北极星号"被遗弃在北纬78°23′、西经73°21′的地方。这艘船已经快要被冰弄坏了。人们提出向爱斯基摩人求助，修复这艘船，但是它最后还是沉没了。船员们在冬天驻扎在岸上，夏天他们航向约克角，并在那里遭遇了浮冰。但是他们在梅尔维尔湾看到了一艘冻在冰里的蒸汽轮船。这艘船是从英国敦提来的"雷文斯克拉格号"。它的船长艾伦热情地接待了他们。随后他把一些人送上去往敦提的船，之后他们就随船到了敦提，并从利物浦返回纽约，而其他人是数周后返回的。
于是，这场不幸的北极探险结束了。如果不是霍尔船长英年早
逝的话，或许在这场探险中，人们已经完成了他们出发时的目
标——成功发现了北极点。

发现"雷文斯克拉格号"

乔治·内尔斯，1875 年英国对北极探险的指挥官，在他的官方报告中对霍尔作为一名北极探险家的忠诚作了如下感言：

"人们观察到，海岸线绵延了 30 英里，并形成了一处海湾，通过朱莉山、玛利亚山和约瑟夫亨利角，为美国的山脉排列划了界线。这与霍尔对此处的描述不约而同。而且它们的方向虽然与霍尔所绘制的图标差了 30°，但是却与他发布的报告准确相符。"

1876 年 5 月 13 日，参加了英国探险的史蒂芬森船长，在 24 名官兵和民众面前，将一面美国国旗在霍尔船长的墓前升起，并在墓脚下竖起了一座从英国带来的铜质墓碑，上面写着如下的铭文：

霍尔船长之墓

神圣的记忆

美国航船"北极星号"

C.F. 霍尔船长之墓

他在 1871 年 11 月 8 日为了科学进步而牺牲了自己的生命。此碑由英国航海探险者于 1875 年所立。我们将得益于他的经验，将永远追寻霍尔船长的步伐。

他还对内尔斯船长报告说，他们发现坟墓保存状态良好。泰森栽下的柳树还活着。1872 年 7 月，霍尔曾经的手下把铭文刻到了碑上，铭文内容如下：

此碑是为了纪念

弗朗西斯·霍尔船长，

美国北极探险航船"北极星号"指挥官。

逝世于 1871 年 11 月 8 日，享年 50 岁。

复活在我，生命也在我，信我的人，虽然死了，也必复活。凡活着信我的人，必永远不死。①

---

① 《圣经·新约·约翰福音》11 章 25 节。——译者注

第七章　内尔斯的"警惕号"与"发现号"之旅

　　1875 年，英国政府委托内尔斯船长和史蒂芬森船长率领"警惕号"和"发现号"，探索北极点地区。这次探险行动配备有最完整的装备，接受了最有优势的建议，并且受到了最有经验的北极探险家的帮助。出任"警惕号"的指挥官玛卡姆，是同内尔斯船长一样绕北极圈航行过的，为了使这次航行成功，他们已经做了充分的准备。

　　乔治·S. 内尔斯具有非常卓越的北极和海上航行经历。他曾乘坐"挑战者号"开启科学之旅，这自然也得益于以前所习得的地理知识。那次远航同样给他带来大量的经验积累。史蒂芬森也同样在世界上的很多地方探险过。在这些指挥官手下，还有很多值得信赖、富有经验的船员。这支探险队于 1875 年 5 月 29 日离开英国朴次茅斯，出发前往北冰洋。在路上，他们遭遇了多次猛烈的暴风雨，这既检验着船只本身，又检验着船只上的探险队伍，也包括在大洋中掉队的补给舰"勇武号"。6 月

27日，他们第一次在海上看到了浮冰，随后"勇武号"跟上了队伍，一切都进展顺利。

　　船队在驶过充满浮冰的格陵兰海峡时，遭遇了恶劣的天气，并最终停泊在斯迪克岛的歌德海文港。在这里，他们补充了供应品和雪橇犬。7月15日，"警惕号"将"发现号"拖出港口，继续向北前行。他们到达了乌佩纳维克并离开。随后"警惕号"搁浅了，但在高水位时又重新起航了。他们通过一条非常快速的航线，于70个小时内就到达了约克角。"警惕号"绕过了克里姆森危崖和迪格斯角，于7月27日到达卡利群岛。他们在这里建立了仓库，并用信件进行记录。

乔治·S.内尔斯船长

此外，他们也在英国萨瑟兰和利特尔顿岛建起了仓库。进入史密斯湾，并不顺利，有几次他们都不得不返回凯恩曾经过冬所在纬度的那个居住点。

就在这个时候，"警惕号"差点儿被一座冰山压碎了，但还是幸运地逃过了一劫。船员们把船和冰山绑在一起，让冰山带着船前进。就靠着这样缓慢的漂流，船队最终到达凯恩已经探索过，却没有继续从那里前行的宪法角。船队继续向前，绕过了肯尼迪海峡，抵达了霍尔流域。而在此地的东北方就是"北极星号"冬季露营地了，而今，他们已绕过罗宾逊海峡。

一直以来，船上的船员就算没安排具体任务，也没有闲着。船员们要么外出狩猎，要么在家绘制地图。他们也在海边做了很多科学考察，还拍了很多照片。

在这一探索阶段，人们给"发现号"找到了绝佳的过冬点——一处停泊口岸。"发现号"被下令停在北纬82°处。此后也接收过同样的命令。8月26日，"警惕号"单独进入罗宾逊海峡，却遇到了浮冰。这些麻烦的浮冰在船周围聚集成一团。幸运的是，"警惕号"也发现了一处停靠点，且未被浮冰破坏。此时看来似乎不能再行进了，所以他们开始着手在附近建立过冬点。9月到了，雪橇已经准备好了。玛卡姆满载物资出发，为明年春天向北方的探索建立储存点。这支队伍在三个星期之后满载风霜、精疲力竭地回来了，但是目的已经达到。奥德里奇中尉也回来了，不过除了带回冰雪之外，几乎是空手而归。

雪橇

　　他们尝试着与留在"发现号"上的人取得联系，虽然"发现号"离他们只有 60 英里远，但恶劣的天气，让他们没能取得联系。冬天已经来了，"警惕号"被雪埋了起来。严寒十分严酷——最低气温低达 -73℃。

　　"警惕号"后来经历了 142 天没有阳光的极夜。就算是在正午时分，天空也黑得像任何一个普通的、没有月光的黑夜一般。次年 3 月 2 日，终于回到了阳光明媚的日子，于是人们又安置好了雪橇。

　　一支雪橇队出发了，去与"发现号"会合，却疲劳地无果而归，队员彼得森几乎要累垮了。后来这个可怜的家伙死了，他在 5 月 14 日被埋在了凯恩山，就在他的同伴旁边。我们在此书中不对雪橇旅行的全部情况进行赘述。这次旅行是整个旅程中最单调无聊的部分，一共持续了两个半月。他们拼命干活，从不间断，

玛卡姆正试图征服冰天雪地

每天却只能走上一到两英里。当帕尔中尉回到补给船的时候，坏血病开始流行，而此时北方探索几乎就要完成了。这时夏天已经到来，人们立刻派出补给队伍，营救和帮助他们，但仅是找到他们就已经很不容易。这群人中有四个还活着，有一个已经死了。这个人死之前在雪橇上被拖了 39 天，后来被埋在了北方的一个地方，队员们在他的坟前用一个船桨和一个木棍做了一个粗糙的十字架。这群人中，只有五个人通过不停地奋斗回到了船上，且他们都已经筋疲力尽。

现在的问题是，"警惕号"是应该原地不动，还是继续前进，或是后退。现在他们至多只能再前进几英里了——船员们都已经吃不消了，此时撤回去才是最明智的选择。所以，这艘船决定先与"发现号"会合。而"发现号"上的一些人还没回来，船上的人都十分焦虑。最终，在消失了 130 天之后，这些人终于回来了。

从"发现号"停泊的海湾出发，他们全速向东行驶，与冬天赛跑。9 月 9 日，他们看到了史密斯湾的伊莎贝拉角。在这里，他们发现了潘多拉留下来的信件。这些信让他们十分惊喜，当他们到了达迪斯科，并且得到了一些煤炭的时候，这些探险者就像已经回到了家一样开心。10 月 2 日，船驶向英国。10 月 27 日，"警惕号"停泊在瓦伦西亚；29 日，"发现号"停泊在了班德里湾。

在这次航行中，人们完成了很多壮举。"警惕号"沿西海岸

玛卡姆抵达最高纬度地带

探索了 220 英里,"发现号"也探索了格陵兰岛的海岸。史蒂芬森在勇敢的"北极星号"船长的坟墓前放置了一座墓碑,上面刻着铭文。"北极星号"已经到达了人们所到过的最高纬度,即北纬 82°27′。关于开放北极海域的想法后来终于胎死腹中,因为那里除了冰以外,什么都没有。

女王要求海军感谢内尔斯船长和他所带领的士兵及船员,内尔斯船长受到了封爵的奖赏。民众对此表达了一些小小的不满情绪,但是这次航海的影响如此之大,这些声音迅速盖过了人们对他的任何敌意。

第八章　德国和奥地利的探险

著名的德国地理学家彼得曼先生，热烈主张开通斯匹次卑尔根岛和格陵兰岛之间的航线。应他的主张，数个德国领先的科学团体提供了航行资金，于是一艘叫作"日耳曼尼亚号"的小船于 1868 年 5 月 24 日装载出发。这艘船从格陵兰岛东部的香农岛出发，并对高海拔地区未知的北冰洋进行探索。但是由于船只遭遇了大量的浮冰，它不得不在到达了北纬 81°51′ 的高纬度地区之后返航。这艘船对格陵兰岛的部分地区进行了精确测量，却没有对全岛进行完整的探索。

后来，"日耳曼尼亚号"和"汉萨号"建立同盟，组成了第二次远征队伍。他们于 1869 年 6 月 15 日从不莱梅出发。出发典礼上出席的嘉宾包括普鲁士国王、俾斯麦、冯·莫尔特克等。7 月 5 日，他们穿越了北极圈；7 月 10 日，他们在大雾中失散，且再也没有见面。这是由信号的误差所引起的事故。

"汉萨号"继续沿海岸航行，结果陷入冰中，进退维谷。冬天到来，船员们不得不设法生存下去。他们建造了一间小房子，并猎杀了几头熊。他们舒服的日子一直持续到了 10 月中旬。那时，冰挤压着船只并将它挤破了，水随之漫了进来，"汉萨号"注定要毁灭了，它在 10 月 21 日沉没。它的桅杆被砍断，并随全部的索具一起被拖到冰面上。船上的很多科学收藏和装置全都丢失了。而此处离格陵兰岛利物浦海岸的霍洛威湾只有 6 英里。

船员们逃到了冰面上，这块浮冰带着他们去了南方。他们对这块浮冰进行了测量，发现这块浮冰周长大约 7 英里，直径约 2 英里，大约 45 英尺厚，水面上的部分约为 5 英尺。圣诞节到来的时候他们还在漂流。新的一年快到了，而他们的这块浮冰已经出现了断裂的迹象。风呼呼地吹过，预示着他们的危险正在逼近。幸运的是，浮冰的大小相当可观，使得他们并没有发生什么事故。而且小船的状况还很好。但是一天一天过去，浮冰每天都在融化缩小，直到最后变得实在太小了，使得他们无法再长时间生活在上面。2 月、3 月和 4 月都过去了，5 月 6日，他们终于到达了挪威卑尔根的纬度。他们很快放弃了这块浮冰，并坐上了小船，但是海上的浮冰又一次使得他们停了下来。6 月 6 日，在经过了一系列的冒险之后，他们终于恢复了航行，船向格陵兰西南海岸靠近送别角的腓特烈斯塔尔驶去，而此处是在 1870 年 6 月被发现的。他们于 9 月 1 日安全抵达丹麦石勒苏益格。在这里，他们完成了这次在北冰洋探险史中无可比拟的一次航行——罗斯从巴罗湾中逃脱的故事，凯恩从史密斯海峡逃脱的故事，甚至巴伦支的英雄事迹，均在这次航海面前显得苍白无力。冰封的"汉萨号"和上面船员的故事，将成为现实中的英雄主义，也将在德国人的史册中永垂不朽，他们永远是北极探险者中最勇敢的一批。

虽然没有取得成果，但是"日耳曼尼亚号"还在继续为它去往格陵兰岛东海岸的航行而努力。它停靠在萨宾湾，船上的探险者们做过了一些雪橇探险，以验证凯恩的"开放的海域"理论，然后对此观点提出了质疑。冰在视线所能观察到的地方，是无处不在的。探险者们做了很多调查，并且得到了很多有用的科学信息。但这些研究显示，"汉萨号"和更幸运的"日耳曼尼亚号"并没有任何新的重要发现。归程十分顺利，幸存的船只于 1870 年 9 月 11 日到达不莱梅。这使得人们相信从格陵兰岛东部是不可能到达北极点的。

"汉萨号"残骸

1869 年，人们派出了其他几支远征队伍，但这些队伍基本都没有取得什么成就。1870 年，整个年度没有什么大型的航海探险。1871 年，北极地区又一次被航海者们视作最终目标。在那一年的 6 月，帕耶中尉和维普利克特出发前往新地岛，并在那里发现了一处基本没有什么冰的开放海域。看到了所追寻的那个海岛之后，他们于 10 月回到了泰罗姆瑟。

寻找西北通道成为此刻的主流指导思想。帕耶中尉相信，人们可以通过西伯利亚航线抵达北极地区，而且奥匈帝国也很快派出了北极探险队。彼得曼说，这个小型探险队所取得的成就非常有价值，并决定对其增补探险资源。轮船"特格特霍夫号"上配备精良：设备是最完整的，并且有许多知名的北极探险者的借款援助。工作分配上，卡尔森船长出任主驾驶，维普利克特负责整体指挥，而帕耶进行土地探索工作。

"特格特霍夫号"于 1872 年 6 月离开不莱梅，并于 7 月 29 日到达了新地岛。8 月，"法比约恩号"加入了该船队，但是他们在之后并没有进行什么探索，直到当月"法比约恩号"游艇离开"特格特霍夫号"，再次独自进行航海探索。英勇的"特格特霍夫号"继续向前航行，很快就被冰困在了新地岛的北方海岸，并在此处度过了一个危机四伏的冬天。从 10 月 29 日之后的 109 天，这个地区进入了极夜期。

冬天过去，次年 5 月、6 月和 7 月人们都在等着"特格特霍夫号"从冰中解冻出来。但是，他们的期望全都落空了。帕耶

帕耶中尉在帕耶峰

写道："我们注定再也看不到我们的船再次航行了。"7月的北风将封着"特格特霍夫号"的浮冰送向南方，但是一个月里南风又把冰吹了回来，自此，人们再也没有对解冻这艘船抱希望了。1873年8月，船队发现了陆地。他们靠近陆地，并用本次探险的发起者康特·维尔泽克的名字来命名陆地。

行进的"特格特霍夫号"

北极极夜的黑暗使得人们没有办法进行更多的探索活动。船只向北漂移，最终挟带着船只的浮冰被吹到了一处岛屿，并停留在此处。其中船只停留的地方与海岸相隔三英里。随后，第二年的冬天到来了。一月的天气十分严寒：油被冻结了，灯也熄灭了，甚至连白兰地都被冻成了固体。北极熊频繁地造访这些旅行者，其中有很多熊都被射杀了。

三月，帕耶和他的部下们踏上了向西北方去往霍尔岛的行程。这一地区似乎是"没有生命居住的"，因为到处都是冰块和大型冰川。极度的寒冷使得他们不得不返回，并且由麦克林托克指挥又用雪橇进行了另一次去北方的旅行。在这次旅途中，他们发现了法兰士·约瑟夫地群岛，并将这里以皇帝的名讳命名。这就像"东方的格陵兰岛"是一处荒凉之地，这片蓝绿色的土地上有高山和广阔的冰川。这里植被稀少，是一片无人居住的地区。

后来，他们到达了另一处地区，并将之命名为鲁道夫王子陆地。此处居住着数以百万计的海鸟、成千上万的北极熊和北极狐。一个巨大的冰川交错纵横地伫立着，当它慢慢浮开时，出现了一处巨大的裂缝，满载着物资的那个雪橇掉了进去，而其他雪橇侥幸绕过了缝隙，只是被划上了几道口子而已。帕耶赶回来援助他们，到最后，人、狗和雪橇一起把陷在裂缝里的雪橇和物资安全无损地拉了出来。绕过海雀角，这群探险者到达了开放水域。

队伍向北行进到北纬81°57′处，到达了他们此次航行的最远处。从此处的一个高点，一个探险家向远方观察，这使得他最终得出结论：并没有什么开放的北极海洋，但海洋里也并不总是覆盖着冰。这两者之间有一个中间值，在气温较高的一年

跌入冰隙

里冰将会融化，使得船只可以在这样的情况下靠岸。保存档案记录之后，船队又航行了 160 英里，之后便返航了。

他们又进行了一次小型航行，之后船上的官兵和船员开始期待归程。他们不得不放弃"特格特霍夫号"，并开始了一场危险的小船与雪橇之旅。5 月 20 日，他们把船的旗帜钉在桅杆上之后，便开始撤退。供给品被装上了小船，而小船被放在了雪橇上，不过一开始，他们前进的速度很缓慢，因为他们所有人都需要腾出手拉各自的雪橇。在两个月的时间里，他们只行进了八英里——他们似乎在冰上挨过了三分之一的冬季。

到七月，他们每天能行进一英里。在八月，他们到达了北极的边缘地带，而此时他们已经遗弃了所有的雪橇，杀掉了所有的狗，因为船上已经没有空间能装这些了。船驶过开放水域，到达新地岛，在离开"特格特霍夫号"96 天之后，他们看到了一艘俄国船，这艘船将他们带往挪威的瓦德。他们于 1874 年 9 月，即在离开不莱梅港 812 天后，抵达瓦德。

这次探险无疑是十分成功的，他们向新地岛以北的方向发现了 200 英里的土地。这次雪橇旅行的成功，要归因于麦克林托克的建议。

我们看到，"特格特霍夫号"漂向北方，而我们所了解到的其他船只都是漂向南方的，这不正说明了北极附近的冰是向两个相反方向运动的吗？靠美洲的一面向南漂流，而亚欧大陆的浮冰则向高纬度地区上升漂移——就像瑞士的冰川一样。北极区域的冰块彼此相连，依次前涌或后移。这一概念将会进一步证明北极是没有开放海域的；冰不但覆盖了整个北冰洋，还南北交替地运动。然而这仅仅是个猜测，正如我们所说的，"特格特霍夫号"是随风漂流，这风一定是南风。因此在另一侧，一定是北风。事实并不会妨碍到我们思索的思路。

　　而后的200年里，没有再进行任何对东北通道的探索，奥匈帝国的远征也最终以失败告终。他们的确没能成功。我们要来谈一谈伟大的诺登舍尔德，他确实进行了一次成功的探险。

第九章　诺登舍尔德与东北通道

阿道夫·埃里克·诺登舍尔德于 1832 年 11 月出生在芬兰，父亲埃里克是一名著名的博物学家。埃里克经常在探险时带着诺登舍尔德，所以诺登舍尔德很早就有了研究自然史的兴趣。他于 1849 年进入赫尔辛基的一所大学，由于不习惯俄罗斯严厉的条规，年轻的诺登舍尔德决定前往瑞典。一次，诺登舍尔德在晚餐后演讲，被芬兰的州长认为他有一些叛国思想，于是要求他离开，但这也成了他职业生涯的转折点。

诺登舍尔德勤于钻研，并在 1858 年跟随特雷尔的船队到达斯匹次卑尔根岛，开启了人生中的第一次北极探险。1861 年，他进行了第二次斯匹次卑尔根岛之旅。后来他分别在 1864 年、1868 年和 1872 年进行了类似的探险，而就在这期间他到达了东半球人们曾经到达过的最高纬度，并在 1870 年到格陵兰岛进行了一次科学旅行。

1875 年和 1876 年，诺登舍尔德到叶尼塞河进行了两次航行。在这个过程中，他开辟了同西伯利亚的交易，并且受到了俄罗斯政府对他开辟西伯利亚海上航线的感谢。但是这些航行远不及他到维加的航行。数次航行终于令他乘着"织女星号"完成了渴望已久的远程——开辟从北大西洋到北印度洋东部海域的东北通道。他轻松地开辟了两条连通叶尼塞河的航线，这一成就促使他继续他研究了多年的探索，即探索东北通道。

塞巴斯蒂安·卡伯特是第一个从事开辟东北通道的探险家，而这个航线的开辟则注定是由诺登舍尔德完成的。三百多年前，卡伯特为"商业探险者"船队配备了三艘船，并在1553年将其分别交给威洛比和钱塞勒进行指挥，但后来这些结束于灾难中。1580年，自称为莫斯科维公司的那些"探险者"们，派出了亚瑟·皮特，但这个人根本没有能耐打破冰面，使包裹着冰块的

阿道夫·埃里克·诺登舍尔德

船脱险。接着，在 1593 年、1595 年和 1596 年，巴伦支尝试了三次，他最后在新地岛被冰困住，并死在了那里。1607 年 8 月，亨德里克·哈得孙又做了尝试，但也失败了。1653 年，丹麦人的尝试也如此。

于是，东北通道对各国的水手来说已经成了一个可怕的、未知的话题。他们认为，人是不可能冲破那些冰冷的障碍的。而俄罗斯人所作出的尝试，更证明了这一断言。但当诺登舍尔德到达喀拉海和叶尼塞河之后，他认为他能解决这个长期以来困扰人们的问题，即从东北通道向东驶入太平洋的航道。

诺登舍尔德购买了蒸汽轮船——捕鲸船"织女星号"，这艘船的名字现在受到整个文明世界的赞美。这艘船由政府出资装载，政府提供了两年的物资和成本。"织女星号"在 1878 年 7 月 21 日携同轮船"莱娜号"从瑞典哥德堡出发，并由来自特隆姆瑟的约翰内森指挥航行。在船队之中有供应船数艘，但是我们的叙述（来源于《诺登舍尔德的航海之旅》和其他资源）将主要探讨"织女星号"，并同时探讨"莱娜号"从出发到与大部队失散过程中的故事，"莱娜号"失散的地方即是以莱娜命名的河口处。很多科学工作者加入了这次探险，而且所有船员都是精心选拔的。

船只绕过了北角，在 7 月 29 日人们看到了新地岛。之后他们通过耶格海峡，进入新地岛和亚欧大陆北端查里亚斯琴角之间的巨大鸿沟——喀拉海。在 7 月 31 日，这个小舰队在卡巴鲁克（卡巴鲁瓦）进行整合。曾经与"莱娜号"和"织女星号"
一同航行过的船只载着货物从叶尼塞河驶出，并安全归抵挪威。
"织女星号"和"莱娜号"继续前行，随后第一次抵达了东北角
（查里亚斯琴角）。他们兴高采烈地在这里升旗、鸣礼炮，强调
他们发现此处的事实。迎接他们的是一头巨熊，这头熊从冰上
冲出来，似乎是在欢迎这些船只。而在此处，大雾和偶尔出现
的浮冰阻碍了他们的步伐。他们做了许多非常有趣的科学探索。
8月23日以后，海水中不再有浮冰，这让他们可以顺利去往莱
娜河三角洲。在这里，船只于8月28日分头行动："莱娜号"
顺河流上行，而"织女星号"则独自去往西伯利亚群岛。

"织女星号"

153

他们在这些岛屿上发现了很多有趣的猛犸象遗骸，且猛犸象的象牙对这些探险者来说有着巨大的价值。冰面已被破坏，探险队员不能着陆，船也不能通过，所以诺登舍尔德忍痛放弃了探索这些未知的岛屿，以及价值巨大的象牙。

"织女星号"继续不间断地向东行进，直到九月份为止。下雪了，熊岛都被雪覆盖了，进一步航行变得十分困难，他们小心地绕过海岸，直到九月来临，夜晚变得太黑，船已无法航行。"织女星号"被迫每晚抛锚停泊，在这种情况下，当地的土著人与这些旅行者们成了朋友。当地人对这些朋友很友好。当地人和他们的住宅十分新奇。他们住在大帐篷里，并在帐篷内一处睡觉的地方或者说是一种内胆里，用油灯加热照明。在这种屋子里，当地妇女都穿着很少的衣服。夏天，他们在屋子的中心位置上点一堆火，并用屋顶的一个洞将浓烟排出去。冬天没有火，小屋会关上门以隔绝外面的冷空气。格陵兰人和这些当地人使用类似的家庭器具；他们在贸易中交换针、刀具和亚麻衬衫等物品，尤其是白兰地。如果能有烟草的话，他们每个人都会抽烟草。而当他们得不到烟草的时候，他们会把一些草药放在耳朵后面干燥，之后放进嘴里咀嚼或是当作烟草抽吸。这些当地人很少戴头巾，他们穿驯鹿皮做的长袍和裤子，穿鹿皮、熊皮或者海象皮做的鞋子。女性蓄发，把头发编成长辫子；而男性会理发，但不理头边缘的头发，他们把头部边缘的头发梳成一种特殊式样的辫子。这里的男性女性都会在脸上画图案或者文身。

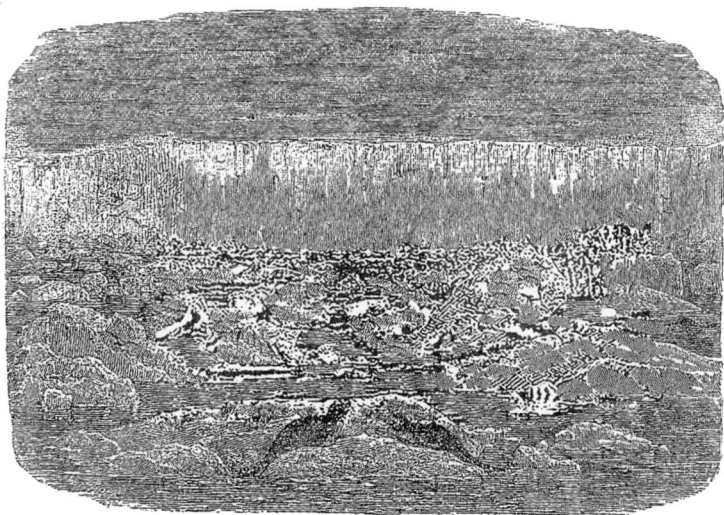

北极大陆冰堤

　　"织女星号"继续向东航行，并遭遇了一系列的小型事故，但也获得了更多的信息。9月27日，在靠近白令海峡那处连接亚欧大陆和美洲大陆的海峡里，船只被封在了之前形成的冰中。正在变强的北风迅速堆积起了一个个小丘，短时间内，诺登舍尔德无能为力，因此产生了想放下一切迅速离开此地的想法，直到夏天到来之前，这种想法才慢慢改变。如果有蒸汽轮船的话，行驶一个小时或许就能穿过他们所在的位置和开放海峡之间的那段距离了。然而，各种困难阻碍总是突然出现在眼前，让人始料未及！

　　这真是让人失望，诺登舍尔德悲哀地写下了他们被冻在这地方的窘境，而这里与他们久已向往的目标隔得如此之近。在这种

在冰丘中的"织女星号"

情况下，船只停留了 264 天。这期间几乎没有阳光。但是对于科学家来说，让他们不那么难过的是，他们还有很多的资源。他们精神状态和健康状态都良好，当地人也十分友好。

"7 月 18 日，在一阵南风中，我注意到我们的里程表显示我们的船正在后退，之后我就看到我们所处的那处陆地上的冰，正在从陆地外侧的冰带上被剥离开。引擎打起了火，船开始移动。半个小时之后，我们终于脱困，到了一处正在持续增宽的通道，我们走得越远，这处通道也就越宽敞。在晚上之前，我们到达一处可以航行的海洋。在经过了近 300 天的冰封之后，我们终于从小险情和小麻烦中解脱出来了，而且已经从一处共

"织女星号"船员身着冬装

有港出海。

"7月20日，我们越过了伊斯特角，之后穿过了东北通道。为了庆祝这一事件，我们升起了国旗，还敬了礼。当天晚上，我们停泊在圣劳伦斯湾的口岸处。"

东北通道的穿越无疑是由瑞典轮船"织女星号"首次完成的。我认为这应该归功于这次探险持续了一年，而如果刚开始没有什么特殊困难的话，它本来只应持续两个月而已，而他们却在1878年9月遇到了那么不同寻常的浮冰，那么东北通道能否在一个季节内就完成探索呢？我回答不了这个问题，因为浮冰的情况在不同的年份差异很大。在夏季和秋季的海岸最东部，河流入海口以东的海域一点儿冰都没有，但是与此相反，切柳斯金角和泰美尔岛附近的海域里却有大量的海冰。这里的一处航道，在一年之中被发现和在数年之中被发现的概率都存在，在夏季同样有机会发现航道，不过他们抵达白令海峡前就已经入冬，因此并未找到那处航道。要在一年内海面无冰的夏秋季节，发现整个航道也不是不可能的。但是切柳斯金角和泰美尔岛附近都没有大河，没有像鄂毕河、叶尼塞河、莱娜河和克里马河一样有着足够流量的河流入海口，能够把浮冰向北推进。那么我们基本可以推断，此处的浮冰主要需要由风来推动。北风将会把海冰吹向陆地，而南风则相反。因此，我们还可以推断，即使是在通航季节，这两种风的组合结果都是随时在改变的。所以说，东北通道是完全不能用作商业运输用途的。但是每年，

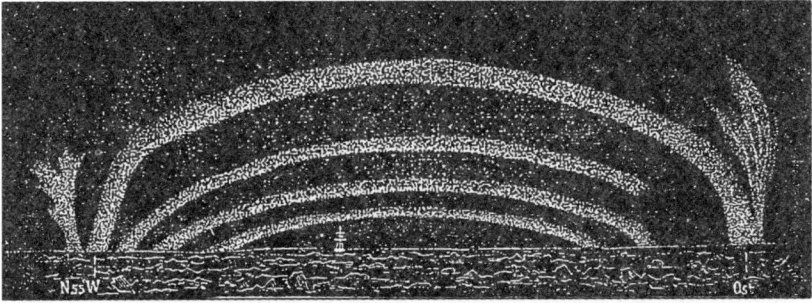

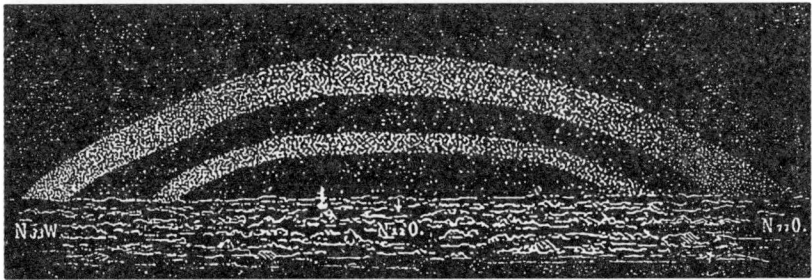

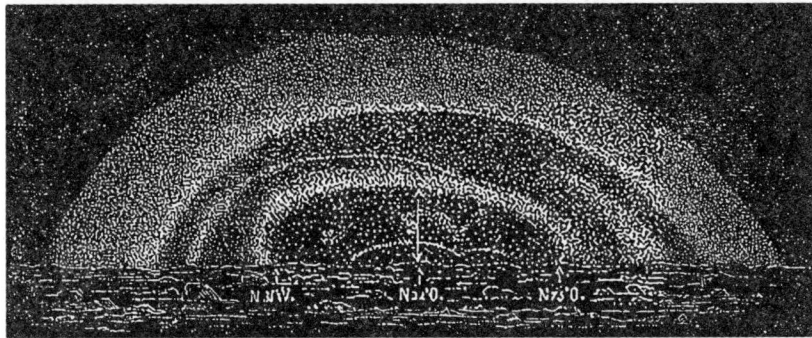

1879 年 3 月，"织女星号"冬季宿营点的极光景象

船只还是可以很容易地通过东方的莱娜河，或者是西方的鄂毕河，或者是叶尼塞河进行商业运输。当然，现在的航路也主要就是这三条大河。通过这三条河，人们可以到达盛产矿物、木材和粮食的地方，而这些地方的重要进出口贸易迄今为止还是由陆运来实现的。现在也应该有一条新的线路，作为新世界与旧世界的联系纽带了。

"我们只在圣劳伦斯湾停留到 21 日中午，之后我们就起航去往美国海岸，并在美国停泊在克劳伦斯港。我们在那里待到 26 日，之后就开始绕过亚欧大陆海岸，并停泊在科尼亚湾。从科尼亚湾出发，我们于 28 日到达了圣劳伦斯岛，并在那里从 7 月 31 日待到 8 月 2 日。之后，又驶向白令岛并停泊在其西南角。8 月 14 日，我们在此处发现了一个小村庄，其中有一座教堂和 25 间木质房屋，均由一家美国公司——哈钦森公司建造并归其所有。这家公司在此处和附近岛屿上从事海豹捕捞业。岛上的居民包括一些俄罗斯官员，还有一些该公司的雇员和阿留申群岛的原著居民，共约 300 人。我们在这里从美国报纸上看到了来自欧洲的消息，这是自出航之后第一次看到欧洲的消息。这些报纸中，最新的日期是 1879 年 4 月于旧金山进行印刷，并由一艘轮船从那里带过来的。8 月 19 日，我们离开了白令岛，开始驶往日本横滨，并于 9 月 2 日抵达此处。"

归途中，他们经由苏伊士运河回到欧洲。当他们抵达欧洲的时候，人们热烈地欢迎他们，并庆祝了这些勇敢的探险家们取得的胜利。

对于这次"织女星号"之旅，诺登舍尔德说道："当我写下现在这段话的时候，'织女星号'是第一艘，或者说是唯一一艘曾从大西洋经由北方航线航行到太平洋的船吗？这个问题的答案应该是绝对肯定的。事实上我们也可以说，没有任何一艘船沿着该航线的反方向从太平洋抵达过大西洋。

"我们应该记住这个著名的北极探险家——麦克卢尔，他在从太平洋绕过美洲北海岸到大西洋的航行中，展现出了如此大的勇气和坚韧不拔的毅力。他还进行了不短的冰上雪橇旅行。我们还应该记住，从来没有英国船只沿着这条航线从一片海域航行到过另一片海域。可以说，从来没有船只航行过东北航线。

"所以说，'织女星号'是一艘穿过了世界上最大的北方海域，并到达另一片海域的船只。"

从威洛比进行大量的东北航线探索而失败的时候算来，这个让许多国家已经奋斗良久的目标终于完成了。威洛比和他的手下，是英国航海事业和探索亚欧大陆之间北部冰封海域的先驱者。从那时候开始，无数其他的海洋探险者也踏上了同样的道路，但是始终没有成功。通常，船只和许多勇敢的水手，都牺牲了生命。终于在 36 年之后的今天，从事航海事业的人们宣布，这一切是可以完成的，东北航线最终被征服了！

第十章　德朗的"珍妮特号"航行
（1879—1881 年）

　　乔治·华盛顿·德朗[1]于 1844 年 8 月 22 日出生在纽约。当他还是一个小孩子的时候，他读到了 1812 年海军交战的故事，被故事里年轻的军校生法拉哥特和波特的英雄主义深深吸引，从此军校成为他的目标。1857 年，他当选为美国海军军官学校的一名候选生，但令他十分失望的是，他的父母不同意他去军官学校。他们更希望他成为一名律师、牧师或者医生，但他却一点儿也不想从事这些职业。后来，在他的坚持下，父母不大情愿地同意他加入了海军。加入海军后，他非常努力，为获得军校任命做了很多准备，最终如愿以偿。

　　1873 年，海军中尉德朗被指派到北大西洋中队的"弗尼阿塔号"上。当时政府意图派出一艘战舰救援"北极星号"，而

---

　　[1] 乔治·华盛顿·德朗（1844 年 8 月 22 日—1881 年 10 月 31 日），美国海军军官及探险家。——译者注

"弗尼阿塔号"被选定执行此次任务，并由德朗指挥。政府指派他"只要没有什么大的事故，就尽可能向北方探索"。"泰格里斯号"驶往巴芬湾，进入史密斯海峡寻找"北极星号"，并在1872年11月之后再也没有出现过。"而'弗尼阿塔号'则没有出现什么故障，或者被冰困住。这艘船和船上的人都没有遇到什么麻烦。"

8月2日，"弗尼阿塔号"出发了，但很快遭遇了恶劣的天气，并且一直持续到8月8日。根据德朗的记叙，当时"我们处在巨大的危险之中。附近有很多冰山，高达100英尺，海上翻腾的浪花冲击到了它们的顶上。我们的船被半淹在海水中了，但是我们还能控制住这艘船。9日，大海终于平静了下来。在我们下令返回的时候，燃料已经用掉了一半，我们绝不考虑再

乔治·华盛顿·德朗

航行到浮冰区中。我们所需要做的只是放弃已经勉强完成的搜寻，开船回到纽芬兰"。在纽芬兰他们了解到"北极星号"上的船员已经被营救起来，正如得到证实的情况一样。

这次北极地区艰难的学徒生活，成为德朗航行生涯史的开端。1873年，他与亨利·格林内尔进行了一次会面，并且劝说他再进行一次北极探险。格林内尔回答说，他太老了，已经把能奉献的都倾囊相授了。他建议不妨试试年轻人，比如，班尼特或者别人。德朗于是与《纽约先驱报》的詹姆斯·戈登·班尼特进行了交流，但是直到1876年班尼特才决定派出一艘船。他买下了"潘多拉号"并将之重新命名为"珍妮特号"。1879年7月8日，"珍妮特号"从旧金山出发。人们对是否使用热气球旅行进行了讨论，但是富有经验的北极旅行者玛卡姆和赫尔认为，这种探索完全就是"疯狂的旅行"，所以这个想法夭折了。乔治·W.梅尔维尔是这次探险的首席指挥。

"珍妮特号"将穿越白令海峡，到达北极海域进行探索。8月28日，它成功穿越了白令海峡，而此时浓雾正吹过亚欧大陆一侧海岸陡峭的海峡。30日，一支队伍在瑟兹拉莫角登陆，并确定诺登舍尔德已经于一个月前抵达此处。而"珍妮特号"现在的任务是向弗兰格尔①地区进发。9月4日，"珍妮特号"看到了先驱岛。这个岛，是由英国船只"先驱号"上的探险家命名

---

① 弗兰格尔是苏联东北部岛屿名。

的。十天前，他们认为离先驱岛只有五英里，但实际上相距 30 英里。探险队绕岛漂流了一段时间，10 月 11 日那天，船仍在冰中快速航行，而且他们也为即将来临的寒冬做足了御寒措施。

乔治·W. 梅尔维尔中尉

　　"如果你舒服地坐在火堆旁边，读一个关于冰雪的故事，"德朗写道，"你可能仅仅会觉得是一段吓人的经历。但实际上，在冰中过冬所造成的精神折磨，足以让任何人未老先衰。在这样的环境中，你得裹上所有的衣服睡觉，如果船外边或船架里的冰突然断裂或开缝，你会被那阵脆响声惊醒。"11 月 24 日，"珍妮特号"终于破冰而出，而"接下来的一天是最紧张刺激的一天。如果当冰移动起来的时候，船从冰中脱离出来，那就万事大吉；而如果船和冰仍然冻在一起，那么船就必须要承受住在不利位置上的撞击。正在前行的冰很快漂到船身周围，与船身摩擦发出刺耳的嘎吱声，它们推挤着船航行了一英里，浮冰在碰碰撞撞，翻翻滚滚，看上去十分骇人。"

他们在常规而单调的工作中度过了冬天。德朗在一种抑郁的精神状态中写道："当我们伴随着所有的不确定性和恐惧在冰中过冬的时候，我们知道出发后的第一个冬天并没有到达高纬度，我们没有什么重大发现，也没有对科学知识作出有用的补充。我们不禁想到，我们在考察方面什么都没有做到。"

12月6日，冷空气来了。"我们开始感受到黑暗。在一天之中，仅仅有四个小时的阳光。我们现在甚至连月光都见不着，根本无法相互为伴。今年的圣诞节，大概是我在世界上最无聊的地方度过的最黑暗的一个圣诞节了。"

1880年1月，船开始漏水，气泵也很难启动。但是梅尔维尔成功地让气泵恢复了工作。他们抽了三个月的水，也终于勉强控制住了水。天气很好，船员们的身体状况也都很不错。1880年4月17日，储备物资不多，他们决定"减少口粮"。6月，阴沉的天气来了，且带来了盛夏和深深的沮丧。"九个月来我们一直紧闭船门，随着海风到处漂来漂去。"直到7月，这种令人沮丧的状况始终没有什么改变。终于在那个时候，船上的洞被堵住了。在检查煤炭库存的时候，德朗发现他们只剩下56吨煤炭了，而其中他们还必须预留出 30 吨用来做饭和取暖，只剩下 26 吨用来带动蒸汽机运转。"鉴于这种情况，"他说，"要么选择到极点，要么完成西北通道的航行，要么空手回去。"7 月 4 日，他写道："从长期来看，我们之前当然没有预计到我们现在的情况，而且我周围这些人的脸上都充满了失望的神情。"

他们为了纪念这一天，特意把这艘船装饰了一番。

德朗在新年（1881 年）之后的第一次记录中写道："我真心希望我们正在翻开新的、幸运的一页。"2 月，太阳出来了。5 月，他记录道："我甚至不介意在纸上写上我自己的想法。"直到 16 日，他们看到了陆地。这是从 1880 年 3 月 24 日以来，在

重获阳光

他们视线中第一次出现的陆地。"他们已经连续 14 个月除了冰和天空什么都看不到了,并且在冰里度过了 20 个月,这使得这一小块火山岛在他们眼里就像沙漠中的绿洲一般可爱。"这个岛屿位于北纬 76°47′28″、东经 159°20′45″,叫珍妮特岛。5 月 24 日,我们看到了另一片土地,并将其命名为埃特岛。

5 月 11 日,梅尔维尔被派遣进行占领活动。他于 6 月 2 日在岛上登陆,在那里插上了美国国旗,竖起了一座石堆纪念碑,并对其进行了记录。6 月 8 日,船迅速向岛的西方行进。10 日,冰面突然裂开了。11 日,船与冰发生了第一次碰撞。冰开始向船的左舷移动,直到碎冰块撞上了船体,一切才再次平静下来。随后,冰又漂下来全部聚集到船的左舷方向,使得船撞上了右舷方向的冰,并且造成船体向右舷方向倾斜了 16°。此刻,他们收到命令,将补给品、衣物、被褥、船上的书籍和记录等都转移到了安全的地方。当他们正在做这些工作的时候,另一个巨大的压力降临了。夜幕降临的时候,船里的漏水已使船开始下沉了。

从那以后,所有人的工作重点都在把补给品等物品弄到冰面上。水一直在往船里漫,直到漫到了甲板上。船体向右舷倾斜的角度大概已经达到了 30°。与主桅并列的右舷处已经明显出现破裂,船下沉得十分迅速。12 日,船的后桅已经越过船边,落入水中,船的底部帆桁也已经触到冰上。船只仍在下沉,烟囱几乎沉到了水中。船继续下沉,就这样,"珍妮特号"永远离开了。

在接下来的六天里，所有人都忙着准备前行：雪橇被装备好了，每个人也被指派了任务，服装被分了出去，前行和日常事务的项目也安排好了。6月18日，失事船只上的探险家们继续他们的航程。除了五个病人以外，其他人的身体状况都很好。对于旅程来说，一年中的任何时间都没有这段时间糟糕：周围条件很恶劣，全都是冰，几乎不可能前行。

从6月26日到7月14日，他们都在冰封的海面上行进，不得不与可怕的困难相抗衡。有时，他们在一天之内就要搭建五座冰桥。

在7月末，一系列的证据显示，他们已经离土地不远了。他们希望即将要到达的陆地是莱考夫岛。28日，雾开始淡了一些，情况也有所好转。几块碎冰为他们提供了一个很方便的桥梁。在他们前面有一处很大的冰块，他们把所有的东西都放在这块大冰块上，将其当成一种载货的交通方式，他们还在这块冰上绑上一根绳子用作牵引。"经过艰辛的努力，我们终于弄来了一块'交通工具'，然后开始用力拖着它往前走。突然，每个人都开始大叫：'快看！'一大块冰从地面上高高拔起，高出我们头顶约有2500英尺的样子。我们像水车水流般越过了它。很快地，我们的冰块到了那个地方，我们从雪橇和船上跳下来，看到前面有两三块冰块聚在一起。我们站在冰盖的底部，这是一个狭窄拥挤的地方，带着帐篷和扛着松散的补给品的人，很难快速行走，也无法追上最后的冰块。既然我们在最后一块冰上，我们的处境就变得至关重要。我们在冰壁上根本站不起来，因为周围是充满了小冰块的十英尺深的水。我们正在以每小时三英里的速度前行。我们的冰块并不是最坚固的。混行在旋转和运动的冰块和小冰山中时，我害怕我们的冰会被撞破或冲散。这真是一个紧张的时刻。这里到岛的西南角不到半英里，而这是我们最后的机会了。我们似乎要拖着东西苦干两个多星期，才能到达这个岛上。

"幸运的是，我们这块浮冰的一角漂近了一座冰山。最后，我们决定从空中跳跃到冰山上，这个方法非常安全！但是虽然站定了，我们还是没有上岸。真高兴我能在这儿找到一个坚实的落脚点。随后，我下令扎营。吃过晚饭后，我们通过陆路行进、跑跳和渡船等不同的方式走过这片地方。在这里，我们尽可能努力地穿过这片充满岩屑的陡坡，还在这里插上了国旗。而就在大家都聚集在我身边的时候，我说道：'我必须向大家宣布，我们已经在此奋斗了超过两周的岛屿，是我们率先发现的。因此，我以美国总统之名义，将其命名为班尼特岛。'"

8月6日，他们乘坐三艘船离开了班尼特岛。冬天已经来临，但是只要有开放水域，他们就可以继续快速向南行进。在岛屿和西伯利亚海岸之间的开放水域中，他们不能带着雪橇，所以他们把雪橇砍了当柴火烧了。但是第二天，他们发现他们被封在了冰面中。很明显，他们在这种情况下能否幸存就要看下一步的决定了。8 月 18 日，他们吃光了最后一点儿面包，而李比希①的口粮也被减少到了半盎司。只有在早餐的时候才能喝到咖啡，其他几餐都要喝茶。他们切实感受到了没有烟抽的痛苦。有烟草的人都十分节制地抽烟，而没有烟的人则把咖啡末和烟叶混合起来当烟抽。30 日，他们用光了所有的酸橙汁。

9 月 10 日，德朗发现他们在谢苗诺夫斯基岛，此时德朗仍对顺利去往莱娜抱有很大的希望。12 日晚上，他们距离目标点巴金角只有 90 英里远，而此时风力增强至烈风等级。晚上 9 点钟，德朗一行人再也看不到捕鲸船的踪迹；而到晚上 10 点钟，第二艘独桅纵帆船也看不见了。梅尔维尔用下面的文字记述了这一场景：

"当德朗挥手让我离开他的时候，我撑起船帆，绕过一片礁石。我们像箭一样快速地向前驶去的时候，浪花都飞溅到了我们的身上。到目前为止，我们一直在拼命前行，直到风从我们的西南方吹向陆地。但是，大海和船帆的剧烈运动使得船帆从一舷转向另一舷。因此我们在船上钻孔，让海水流进来，用来稳定船只。由于这个原因，我把船拽离了原来的路线一点儿，或者说是拽得更靠近风了。我们的情况立刻好转了。既然我们已经被分开了，我决定亲自处理自己负责的船只情况。以至于当有一个人说德朗在给我们发信号的时候，我对他说这不可能。

① 李比希（1803—1873）：德国著名的化学家，创立了有机化学，被誉为最伟大的化学教育家之一。——编辑注

并且进一步说，谁都不应该看到任何信号，我们应该指望我们自己的资源。

"上次看到独桅纵帆船的时候，它是在 1000 码①以外的地方。而第一艘独桅纵帆船（德朗的）很可能就在这 1000 码之间。在一个痛苦的日夜之后，德朗等一行 14 个人在莱娜三角洲着陆，并决定步行到 95 英里外的一个定居点处，因为在这次旅行中，他们有足够支撑四天的供给品，这些供给品都完好无缺。

进展太缓慢了。在四天之中带着残疾的人去任何地方都是不可能的。林德曼和阿列克谢被派出去射鹿（如果能射到的话）。但是，尽管他们看到了一群鹿，却接近不了它们。9 月 21 日，他们距离一个定居点大概还有 87 英里，而只剩下两天的口粮和三个瘸脚的每天顶多走五英里的人。德朗下令，他留在一处发现有几间小屋的地方，派出两个走得比较快的人去寻求救援。但是后来他们捕获了两头鹿，这改变了他们的计划。他们继续挣扎着前行，不时杀死一头鹿，不时捉只海鸥，有的时候还试着捕鱼。此时埃里克森已生命垂危，必须由别人背着才能前进。10 月 1 日，德朗写道："我的地图并没有用。我必须继续相信上帝能引导我解决当前的困境。因为我早已意识到，我们的力量太薄弱了，根本救不了自己。"10 月 3 日，他们杀了最后一条狗当作食物。6 日，埃里克森死了，且"每个人都十分虚

---

① 1 码＝0.9144 米。——译者注

弱"。7 日，记录中写道："已经没有任何供给了。"9 日，林德曼和诺尔斯被派往前方，试图找到一处定居点。后来，德朗的日记变得更短了："晚饭什么都没有，只喝了一勺甘油。10 月 12 日，动不了了。10 月 14 日，每个人都变得更虚弱了。17 日，阿列克谢死了。"再后来，就是日记中的最后一页：

"10 月 21 日星期五，第 131 天，我们发现卡克在半夜死在医生和我之间。中午，李死了。

"10 月 22 日星期六，第 132 天，我们太虚弱了，无法再携带李和卡克的遗体了。柯林斯医生和我把他们的遗体拖到角落看不到的地方，之后我闭上了眼睛。

"10 月 23 日星期天，第 133 天，每个人都太虚弱了。整天睡觉或者休息，设法在天黑之前收集足够的木头。因没有鞋子，我们的脚备受煎熬。

"10 月 24 日星期一，第 134 天——这是一个难挨的夜晚。

"10 月 28 日星期五，第 138 天——艾弗森倒下了。

"10 月 29 日星期六，第 139 天——雷德斯勒在夜里死去。

"10 月 30 日星期日，第 140 天——布莱纳德和格兹在夜里死去，柯林斯也快要死了。"

德朗内心的痛苦已无法在这简单的日记中宣泄出来。

10 月 9 日，林德曼和诺尔斯接到指示要强行前进，要到库玛克苏塔去寻找救济。他们偶尔躲在小屋里，并在那里发现了一些腐烂内脏残渣。而在 15 日，他们已经沦落到要吃自己的海豹皮裤子、用柳叶当茶叶喝的窘迫境地。19日，他们已经太累了，累得连续走上不到五分钟，就需要停下来歇息。随后，他们患上了痢疾。但是19日，有一个当地人来到了他们居住的地方，很快其他人也来了。林德曼努力向他们解释说德朗的队伍就在此处北方的20英里处，但是当地人摇了摇头，把这两个水手带到了库玛克苏塔。27日，一个俄国人出现了，并把他们托付给另一个人，这个人把他们带到了贝伦。11月2日，他们得到了一个让人振奋的消息，由于收到了他们29日发出的信，梅尔维尔也到了贝伦。梅尔维尔可以和俄国人交流，就这样，这两名水手现在受到了很好的照顾。

天气很无情，这让人和犬都十分痛苦。他们的供给已经很稀缺了，质量也不好，而且也找不到驯鹿群。他们别无选择，只能回到贝伦，并于11月27日返抵此处。12月1日，梅尔维尔出发，并于30日到达雅库茨克。在此处，俄国总督给他们提供了各种援助，并且还派了三名口译员。1882年1月27日，梅尔维尔到达贝伦，并安排了一个系统全面的搜救。天气很恶劣，对于当地人来说，这天气都算是很差了。他们几乎不可能再获得什么进展了。事实上，这群人也被困到了3月14日。

林德曼意识到了这个国家这片地区的地貌特点，并在他的指示下，又一次进行了仔细的搜索。3月23日，他发现了一堆有着很多脚印的熄灭了的篝火，然后发现了一条小路。就在他们继续探索河岸的时候，他们发现雪中插着很多树枝，而旁边有一把雷明顿步枪。在篝火附近，有人的手和胳膊从雪里伸出来，他立刻认出，这就是德朗。德朗靠右躺着，手放在头下面，头朝着北方，脸朝西面。在距他四英尺远的地方是他的笔记本，他用左手把笔记本扔在了那里，而这一幕看上去就像是瞬间冻住的一样。在他附近躺着安布勒和他们的中国厨师。他们的遗体被庄重地迁走，而梅尔维尔也确定了，安布勒自杀的报道是不实的。第二天，他们进行了进一步的挖掘。布莱纳德、格兹、伊万森、柯林斯和德雷斯勒的遗体相继被发现，最后是李和卡克的。这两个人的遗体被德朗搬到"拐角处"，却没有力气埋葬。

寻找德朗和安布勒的遗体

他们给这些北极探险烈士选择的墓地，是一个可以远眺北冰洋的陡峭海角，在那里可以让他们安息了。人们在那里挖了一个三英尺深的坑，并在里面放上了大棺材，再盖上一个沉重的盖子，上面放上十字架。

之后梅尔维尔开始对第二支独桅纵帆船船队展开搜寻，但是他并没有发现那些失踪探险者的踪迹。

美国政府随后派出一艘船，把这些不幸的船员和他们英勇的指挥官的遗体带回祖国安葬。在所有北极探险的记录中，这一次探险是最让人痛心的。探险没有取得任何重要的知识成果就结束了，而人员伤亡却非常惨重。这次探险是有组织的，但是这组织仅仅局限于在报纸上刊登广告。这艘船也不适合从事北极航行，船员们也没有北极工作的经验。指挥官和所有人员都显示出他们最勇敢、最卓越的智谋，以及最强和最冷静的耐力。这既是他们这些人的荣耀，同时也折射出了每一个美国船员的荣誉。

第十一章　从富兰克林夫人海峡到 格林内尔地区的远征， 和极北的成就

　　这支探险队由国会于 1881 年建立，旨在进行科学考察和探索工作。捕鲸船"海神号"载着探险队从纽芬兰到达富兰克林夫人海湾。本次活动委托美国海军的阿道弗斯·W.格里利中尉进行指挥。全队包括一个医生和两名助理在内，一共有 21 人。

　　这次探险在三年间没有与外界直接沟通。在出发接近三年之后，幸存者在 1884 年 6 月 22 日被解救，队伍中只有五个人还活着。

　　他们在 1881 年 7 月 16 日到达歌德海文。在格陵兰岛海岸，他们偶然看到了一处冰山，但是在迪斯科湾他们同时看到了超过 100 座冰山。7 月 24 日，他们到达了乌佩纳维克。

　　"海神号"行走的是梅尔维尔湾的通道，这通道是非常有利的。但是，从乌佩纳维克到约克角要 36 个小时。"警惕号"曾

经走了 72 个小时，而"北极星号"走了 40 个小时。由于蒸汽机的使用，人们对海湾的恐惧也大大降低了。

阿道弗斯·W.格里利中尉

8 月 4 日，这艘船在富兰克林夫人海湾的入口西南处被浮冰所阻。这块浮冰非常重，"海神号"不得不尽快绕到其南部边缘，以等待着这块冰的进一步运动。

8 日，出现了一场寒潮，而人们已经为此做好了准备。人们随时准备将螺杆和方向舵从船上卸下来。同时，在潮汐的作用下，浮冰的状况得到了改善。

10 日，一场夹杂着雪的暴风从西南方吹来，并且在 11 日还在继续吹着。这场大风将整块浮冰吹往北方。当雪融化之后，在视线所及之处，西部海岸一侧已经全部都是开放水域了，他们很轻松地就穿过了富兰克林夫人海湾。河道湾中充满了浮冰，并堵在了岸边，这些浮冰向南方延伸，但是迪斯坦特角和贝洛特岛之间狭窄的航道却使航船只能进入发现港。"海神号"在那里被冰所阻，停泊于荷兰岛。海港中厚约 18 英寸的冰覆盖了发现港的水面和富兰克林夫人海湾的西半部。

8 月 12 日，"海神号"从将近两英里的厚冰中开辟出了航线，并且在发现港的海岸抛锚。他们卸下了普通货物，站名被命名为康格堡。整个港口在 9 月 1 日被冻上了。人们找到了"发现号"丢下的一艘小船和一个雪橇。他们组成了雪橇队，进行狩猎和探索活动。

从 10 月 14 日开始，就不再有白天了，直到二月份才又出现（137 天）。队伍的精神很好，也充满了希望和信心。11 月 3 日，他们安定下来，开始准备过冬。

1882 年 2 月，伴随着严寒的天气到来了。随着太阳在 28 日的再一次出现，人们都开始考虑进行春季旅行了。3 月 1 日，洛克伍德中尉从此处离开，去往"感谢上帝湾"，以确认那里有哪些可用的供给品可以拿回来供北格陵兰雪橇队使用。他发现瞭望台依然伫立在那里，而储存的供给品也保存得很好，没有受到恶劣天气和动物的破坏。他去看了霍尔船长的坟墓，发现那里的情况也良好。他还找到了英国 1895 年探险的记录。洛克伍德继续向纽曼湾前进，并在接近萨姆纳角的地方发现了"北极星号"留下的捕鲸船。他在这次旅程中花了十天的时间，平均温度为 –40℃，天气状况良好。

格里利很满意，因为格林内尔地区的内陆可以进行成功的探索了。4 月 25 日，他开始尝试探索。他走了 12 天，游历了超过 240 英里。他的路线遍布了发现港、太阳湾和克尼碧尔湾的西南部。他在日记中写道："据估计，克尼碧尔湾内部不足 10 英里，却被证明是一处峡湾，我喜欢叫它钱德勒峡湾。它从斯托尼角延伸到西南部的一处海湾（艾达湾）。整个峡湾约有 30 英里。这处峡谷在距离艾达湾附近，急剧地向西北转弯，并延伸出约 12 英里远。"

洛克伍德中尉

格里利还曾写道：

"在钱德勒峡湾的尽头发现了一处地方，乍一看像是一个冰川，实际上是一处几乎垂直的冰墙。这处冰墙高约15英尺，宽约1英里。它被证实是一条河的一处冰坝，从其中能流出少量的淡水。这处河流的曲折形状总的来说是先向北，然后是西—北—西，其水源来自一处流域广大的湖泊（哈森湖）。哈森湖和这条河于北纬81°46.5′、西经70°30′交汇。在哈森湖之前5英里处，我们发现此处河水并未结冰。在这个纬度，4月，河流还在流淌的画面给我们留下了非常深刻的印象。当一种不知名的鸟突然飞过的时候，我们的印象更深刻了。

"这处开放河流宽约40码，深2英尺，其冰坝厚度大约为10英尺。冰坝的厚度逐渐降低，直到完全消失在湖的边缘。而开放的河流延伸到湖中大概四分之一英里。很明显，河流整年都在流动，即使在源头会冰封，那冰封的时间肯定也是很少的。沿着河、湖交界处分布着薄薄的冰，这说明在极端寒冷的天气中，会结成一种薄膜似的冰，而这种形态又很快会被水流毁掉。

"哈森湖大约有60英里长，6英里宽。其南岸分布着低矮的山丘，山丘上面并不全都覆盖着积雪。这些山丘向南延伸，没有明显的高峰。它们与北方海岸部分覆盖着积雪的一系列山脉大体平行，构成所谓的加菲尔德山脉。

"在这片山脉中，覆盖着永久积雪的山峰偶尔可见，虽然这些山脉的位置已经从根本上改变了，我还是保留其命名，将其称为美国山。湖的表面覆盖着大约两英尺厚的积雪。

"在岸边西南约 18 英里处，我们参观了一个大冰川（亨丽埃塔·奈史密斯冰川）。这处冰川正滑向一处前段为凸形，大约 4 英里深、3 英里宽的小湾中。伫立在那里的冰川，看起来似乎没有多大，被证明其高度大约为 175 英尺。此处是其五个表面中最低的地方，因为此处流出的溪流将其中心位置冲刷得融化了。此时我们无法确认冰川的范围，因为我们并不能观察到它三或四英里以外的更多样貌。

"意识到我们的口粮已经不能支撑我们往更前方进发，而我

1882 年格里利居住于康格堡

们又担心这条河会突然断裂，所以我们回到了康格堡，那里的河边储存着我们为将来的活动留着的供给品。

"冰到处移动，在很多地方都十分显眼。在钱德勒峡湾内大概8英里，以及河流上大约20英里的地方都没有什么雪，冰面十分光滑，所以即使是一个小孩子也可以拖动雪橇和上面的货物。"

这次雪橇旅行从其结果来看，取得了十分丰硕的成果。这次旅行探索出了格林内尔地区以前未知的内部条件。对于缺少流动冰川的情况，现在的解释是因为其土地破碎而且崎岖，且在北极短暂的夏季期间，其中还有峡湾和湖泊相互交错。这些峡湾、湖泊的排水系统，使得北极地区夏天微不足道的降雪很快就流失掉了。此处的山谷，裸露的积雪使得植被能够生长，从而形成了高纬度地区郁郁葱葱的特殊景象，且相当于一处十分巨大的天然牧场。而加菲尔德地区内冰川的存在，也支撑了格林内尔北部冰盖的地区，并继而支撑了一个同发现港及哈森湖附近本土完全不同的地理形态的存在。

在这些旅行进行的同时，洛克伍德也在探索北格陵兰海岸。这个队伍继续探索了萨姆纳角以及发现舰营地，他们又遭遇了激烈的风暴。4月16日，他们从发现舰营地携带着300天的口粮，开始向北行进。而这次旅程以痛苦告终，人们抱怨睡得很冷，睡袋都被冻硬了。4月26日，在西顿峡谷，他们发现了由英国探险家博蒙特留下的仓库，并于第二天到达了布莱恩特角——在那里，可以清晰地看到不列颠尼亚角。并且在此处，补给队终止了他们的旅程。29日，洛克伍德，同布雷纳德、克里斯钦一起，开始看向北方的冰封海域，他直接去往不列颠尼亚角，并于5月3日抵达。5月7日，他们到达了位于与之前到过的最高纬度持平的莱欧点。11日，他们驻扎在了玛丽茉莉岛，并因大风在那里停滞了63个小时。

5月14日，洛克伍德登上了悬崖——他的营地就在这处悬崖下方的阴影里。在这里，国旗飘荡在人们所到过的最高纬度，同时也是人类所到过的最北方的土地。275年以来，第一次有国家获得了比英国去往更远的北方的殊荣，而英国国旗不得不让位于星条旗。

三个世纪以来，英国一直都把持着到达最北方的荣誉。1607年哈得孙到达北纬80°23′，让位于1773年到过北纬80°48′的菲普斯。而斯科斯比，1806年则到了北纬81°12′42″。21年之后，帕里让世人铭记的旅程中，他到达了北纬82°45′。这些纬度都是在格陵兰海中到达的。而英格尔菲尔德为世界开辟了史密斯海峡航线。并且在1871年，梅尔到达了陆地上的最高纬度，北纬82°09′。一年之后，帕耶在他的雪橇旅行中到达了弗兰兹·约瑟夫地区的利格里角（北纬82°07′），其纬度几乎和梅尔所到的纬度相当。1876年，奥德里奇刷新了帕里所到的著名纬度，到达了北纬83°07′的哥伦比亚角。而几周之后，他的纪录又被海上航行的新纬度所刷新：玛卡姆在通过大冻海时到达了北纬 83°20′26″，且在这个过程中，英国海军官兵展现出了超人的精力、持久性和勇气。

此时的洛克伍德受益于这些前人的劳动和经历，超越了海、陆上三个世纪的努力。而提到洛克伍德的名字，我们就应该想到他形影不离的雪橇同伴——布莱纳德。正如洛克伍德所说，如果没有布莱纳德的有效援助和无穷力量的话，他的工作是绝对完成不了的。

因此，怀着适当的自豪感，他们从其所在的最北端的有利位置（洛克伍德岛）向远处荒凉的海角远眺，这个海角后来被命名为"华盛顿"。

紧靠冰山

格里利与四个同伴于 6 月 24 日离开康格堡，出发前往格林内尔。7 月 4 日，他们登上了格林内尔西南方几英里处的一座高山。这座山比洛克伍德所登上的维克多利亚山高 50 英尺，被命名为亚瑟山。此时他在格林内尔地区西部，在日记中写道：

"整片土地似乎都呈现在我面前了。第二条山脉（康格山）延伸到西部的加菲尔德山脉余脉，两条山脉之间相隔八或十英里，中间隔着加菲尔德山脉最西端的山——惠斯勒山。康格和加菲尔德山脉的北段是一系列的低矮山丘，这些山丘上都覆盖着皑皑白雪，我们将其算作美国山脉的一部分。惠斯特山山谷的北段向东延伸到距奈史密斯冰川的中途，而从那里再往东就是加菲尔德山脉剩下的部分，很靠近美国山脉，显然成了阻止冰川向南方滑动的唯一障碍。被冰雪覆盖的重叠的圆形山脉距奈史密斯冰川东北方至少有 20 英里，而距奈史密斯冰川约有 40 英里。"

康格山脉和美国山脉之间的山谷就位于这个距离之间。这些山脉在经过了很长的一段距离之后便逐渐向西北方延伸，或许最终便终止于奥德里奇的挑战者地区。

在这个地区的西方和北方，视线因被山区所阻无法观察，但是这个地区是绝对不会与康格地区相连的。我们可以看到在南方约 40 英里远的地方，有一片山区的东部急剧地上升，其顶部平坦，向西方延伸并逐渐（如果能透视的话或许能看到）隐没到低山中。主峰位于东南部，其附近是数座并未完全探索过的冰雪覆盖的山，显然其西坡位于维多利亚和艾伯特地区。

这次旅行的重要成果就是发现了大规模的内陆湖，比如，哈森湖（占地约 300 平方英里），其显示出，无数沟壑以极快的速度排干这片地区的水，并解释了为什么整个地区都没有被冰层覆盖，只有在加菲尔德地区与美国湾紧邻的地方才存在冰川，显然巨大冰盖的一部分已经覆盖了北部山区。

探险队在回到康格堡的时候，只是遇到了一些常见的困难而已。冰现在都已经破碎了，船也已经下水。这些人中的一个去往立伯角，以期能找到救援船，但是他并没有看到救援船的踪迹。8 月 28 日，他们放弃了所有的希望。洛克伍德继续投身于探索阿切尔峡湾的进程中，并在立伯角离开了捕鲸船。8 月，队伍在捕猎活动中取得了巨大的成功。

1882 年 9 月 1 日，他们为第二个冬天做着准备。24 日，洛克伍德出发，带着一条狗和雪橇攀爬布莱克·罗克山，以查明是否可以进内陆进行旅行。这次探索的结果显示，用雪橇去往哈森湖再转向陆路进发的做法是行不通的。

9 月 16 日，极夜期来了。天空中频繁闪烁着极光。人们在 11 月 9 日注意到，温度计里的水银已经结冰了，就像 1881 年的时候一样。极光一直持续到 12 月 17 日。

1883 年 3 月，人们有一种冬天已经过去了的感觉，整个队伍开始变得精力充沛，也更健康。

　　洛克伍德计划进一步探索北部海岸，但是格里利却让他南下探索阿切尔峡湾，以尝试绕过格林内尔地区，去往西部大洋。洛克伍德在 4 月 24 日带着两支队伍和十条狗出发，于 5 月 26 日返回，一共去了 31 天。此次旅行十分成功。格里利写道：

　　"他探索了艾拉湾湾口处的山谷，并发现沿着那个方向并没有合适的路线可以行进，于是他去往比阿特丽克斯湾，从那里成功地绕过格林内尔海峡，在被他命名为格里利峡湾的地方到达从北冰洋流过来的海域。他顺着峡湾行进了大概有 25 英里，到达北纬 88°48′、西经 77° 处。

　　"靠着每天只吃不到一半的口粮，在等了三天之后，他在一个晴朗的天气里，观察到了格林内尔地区的边界，在布雷纳德角的峡湾——格里利峡湾的北端。在那里西南部约 70 英里的位置，他可以看到一块略突出的地方，显然是被格林内尔地区西部的一个大峡湾分开的。我似乎应该把这个地方命名为洛克伍德角，以纪念其发现者。我还应该把这块新土地命名为亚瑟地区，以纪念总统先生。洛克伍德发现，格林内尔地区的南半部分覆盖着一片巨大的冰盖，其从艾拉湾延伸到格里利峡湾的东部海岸。这片冰盖的一处显著特点就在于其完整性和垂直的侧面，其侧面的高度在 125—200 英尺之间。其形状如此陡峭，以至于只有在它侧面的两个部分，人们才可以攀爬上去对它进行测量观察。

　　"在这次旅行中，洛克伍德和布莱纳德显示出了他们超人

格里利湾前方的“小冰山”

的力量、耐心、勇气和忠诚。在将近一周的时间里，整个队伍都仅能吃到平时一半的口粮，以此来确保完成他们的探索和发现的工作。"

5月30日，被当作一个节日，以纪念1875年英国在对北极的探索中船队登陆的日子。

7月结束的时候，正是偏南大风的天气，这使得霍尔盆地和罗宾逊海峡的浮冰很快消失。但是埃尔切峡湾的冰还很结实，人们还有机会穿过峡湾。他们在早些时候就已经做了准备，放弃了居住点。

如果要撤退的话，那么全员就必须要保证健康和充满精力，尽管他们已经在无与伦比的黑暗和寒冷中艰苦努力了两年。

这721天他们都待在康格堡里，经历了268天没有阳光的日子。在262天里，有一个或者更多的雪橇队曾从这里出发，去进行为期2—60天的必要探索。他们已经行进了大约3000英里，向北到达了一个无与伦比的纬度，也沿着格陵兰岛的新海岸行进了超过100英里。而西面，他们已经越过了格陵兰岛地区，并考察了其外部地貌，确定了其内部地理结构，对于其北半部的轮廓也已经相当确定。

他们在8月27日离开了霍克斯角，并发现之前结的冰更加大了，而且有几处还和新凝结的冰连在一起，变得厚厚的。于是格里利将他对这种情况的判断写在了他的日记中：

"我们现在处在一个危急的时刻，不知道能够依靠什么。由于在 1882—1883 年都没有船只抵达此处，我们都不确定在救生船港是否有补给队伍。西面的冰现在已经处于这个状态——任何补给充足的船只都能轻易地通过。如果救生船港没有补给队伍的话，那我们的情况可就危险了。我们大概还有 60 天的供给，而在此之后我们就必须依靠这片地区的资源，然而其中大部分都是十分不稳定的因素。我们将会尽我们最大的努力，抓住一切机会，抵达卡利群岛。"

　　他们决定，把 9 月 10 日定为等待春潮和大风来驱散浮冰的最后期限。之后他们就要开始乘雪橇去往三角帽岛，再转去萨宾角。他们把所有的船都抛下了，只留下一艘——因为大多数人认为他们已经不能再多拉一艘船了。9 月 10 日，一场严重的暴风

冰川上的一次雪橇远足

雪袭来，所以直到下午他们才出发。队伍带着三只雪橇出发，第一只可以坐 12 个人的雪橇，由格里利和其他 13 个人拉着；基斯灵伯里中尉和其他五个人拉着一艘六人雪橇；而朱维尔中士和其他三个人拉着四人雪橇。两只小雪橇在第一天就都损坏了，其中那只四人的雪橇被扔掉了，而另一只则在修理后继续使用。

刚开始的时候，他们估计距离三角帽岛是 11 英里。第一天他们走了其中的一英里，用了九个小时，此外他们还花了 14 个小时安营扎寨。11 日，他们被迫放弃了携带的唯一一艘捕鲸船。

9 月 19 日，是关键的一天。午夜之后，刮起了西南风。这一天的风十分猛烈，以至于大家都不能再做饭，所以就把肉饼和水分发给睡袋里的每一个人，当作早饭和晚饭。指向标显示，他们又一次到达了北纬 78°52′，凯恩海中部的同纬度地区，也就是说他们就在萨宾角东 14 英里。昨天晚上很容易就能到达的地区，现在离他们有 20 英里远。所有人都相信，如果他们绕过萨宾角的话，那就有机会到达西部海岸。

洛克伍德认为他们只有三个生存机会：第一个就是在萨宾角找到一处美国的贮藏点；第二个是从这里绕过 35 英里宽的海峡，但他们此时已经没有供给了；第三个就是在冬天捕到足够的动物，以维持他们的生存需求。一支队伍进行了一次尝试，试图到达萨宾角，并成功了。他们带回了"海神号"折损的消息，还表示佳林顿已经向南进发，以求找到"扬蒂克号"或者其他的轮船。这支供给队伍带来的消息使得格里利决定继续向萨宾角进发，并等待援助。

10月26日，太阳再次落下地平线，极夜期开始了。口粮已经被减少了三分之一，给他们提供的鲸脂也少得可怜。寒冷、潮湿、黑暗和饥饿是每个人随时要面对的问题。饥饿严重地影响了所有人。洛克伍德写道："我们像狗一样刮着储存饼干的地方，而那些发霉的饼干早就被吃光了。从那里刮下来的一些饼干屑都被我们吃光了。"

一支队伍去往伊莎贝拉角进行探索，并从那里带回来英国探险者留下的140磅肉，这几乎挽救了队伍。在格里利称之为"北极雪橇探险史中最了不起"的旅程之后，这个队伍被洛克伍德救了。从此时开始，他们的记录里开始充满了恐怖和痛苦：队伍中的一半人都已经不适合继续干活了；有的人开始偷东西；有的人开始指责口粮分得不公平。但是，当圣诞节来临的时候，他们还是唱了歌并用最真挚的祝福来庆祝。洛克伍德似乎已经神志不清；克罗斯也已经有了坏血病的症状，并于1884年1月18日去世，这是因饥荒所造成的第一例死亡。队伍中的一些人也开始不听指挥。

在这样痛苦的时期里，格里利和其他人通过谈论国家历史和大家在海外的经历以试图消磨沉闷的时间。2月1日，莱斯一行人出发绕过史密斯海峡去往利特尔顿岛，他们希望能在那里发现救援队。但是他们在6日又无功而返，士气也开始低落。3月，格里利写道："命运似乎与我们背道而驰——海峡过不去，没有供给品，没有吃的，也没有能获得利特尔顿岛的救援的希望。死很容易，难的是怎么奋斗，怎么忍受，怎么活着。"3月21日，他告诫同伴，就算是死，也要死得像个男人。

3月26日，这样肮脏和痛苦的场面彻底暴露在阳光之下。格里利惊呼道："我们通过了这个人间炼狱，还依然坚守着我们的原则。我们是怎么做到的？"4月很快就要过去了。4月5日，一个爱斯基摩人死了；6日，林恩死了；7日，赖斯离开我们了；9日，洛克伍德中尉死了；12日也死了一个人；14日，基斯灵伯里出现了精神错乱的迹象；29日，又一个爱斯基摩人死了；格里利也病倒了。5月，队伍里的那些人即将要发动哗变。根据22日的记载："距上次发固定食物到现在，已经过去八天了。"士兵们开始彻底打破所有纪律。

6月1日，基斯灵伯里死了；6日，士兵亨利因为盗窃被执行死刑；同日，本德尔和帕维博士死了，然后加德纳也死了。格里利日记中的最后一页写道："21日，开始下雪了，康奈尔膝盖以下的部分瘫痪了，布雷德迪克患上了非常严重的风湿病。今天中午，布坎南海峡去往岸边的路通了。"

22日，他们都已经筋疲力尽，但在临近午夜的时候，他们听到了蒸汽汽笛的声音。"西蒂斯号"鸣起了汽笛声，一艘小船出发去寻找那支失踪已久的队伍。

按照原计划，格里利于1881年从"海神号"出发。次年，"海王星号"将紧随其后，但是没有到达康格堡，也没有给格里利的队伍留下任何东西。1883 年，"海神号"和"扬蒂克号"都没有得到休息，尽管他们已经越过了之前格里利的探险队发生事故的地方。

这个总是导致航行失败的可怕地点震惊了所有人，在 1884年的春天，船上的安全船队出发了。政府买了两艘苏格兰捕鲸船"大熊号"和"西蒂斯号"，女王让人改装了它们，并将它们作为礼物赠送给美国。

此次委派"珍妮特号"指挥官施莱和船员梅尔维尔率救援队执行命令，倒霉的德兰也作为"西蒂斯号"的工程师随行出海远征。这艘船于 5 月 1 日从纽约出发，全速前进到北部海域。这是政府船只和捕鲸者之间的竞争，因为国会提供 25000 美元的奖金给成功抢救了探险者的人。

"西蒂斯号"战胜了其他所有船，并在 6 月 18 日抵达约克角。在大麻哈鱼岛，登陆部队发现了一些格里利探险队的人留下的记号，这些记号可以追溯到 1883 年 9 月 22 日。这说明他们已经进入了附近的萨宾营地，并且"25 人都安全活着"。一支队伍被派去了那里，刺耳的蒸汽汽笛的尖叫声惊醒了那些不幸的人。他们中最强壮的布雷纳德、弗雷德里克和德兰，跌跌撞撞地倒在布满岩石的海角以寻求解脱。

但他们什么都没看见，便绝望地回去了，然而德兰回到了岩石角想再看看，他对眼前看到的一切惊喜不已。他试图发出求救的信号，但信号太弱。终于有人看到了他，便立即向海岸跑来。德兰面对着他们，蜷曲着身体，祈求食物。他告诉他们，他的战友们都在山上，只有七个人还活着，其中包括格里利。诺曼直接冲上了小丘找到了帐篷。

"格里利，你在吗？你怎么进来的？"诺曼大声问道。

"是你吗，诺曼先生？"格里利反问道。

"是的，我是诺曼，你们现在没事了，救援来了。"诺曼回答道。

如果 48 小时内再没有救援的话，所有人都会失去性命。格里利已经无法站立，几乎无法说话。"我们在这里，"他无力地说道，"我们都在垂死挣扎，都要到极限了。"

这样的场面真是难以形容。一片寒冷、贫瘠的高原，一块连苔藓都不能生长的黑色石头，沿着沟壑流动的冰雪，还有肆虐的风、无情的大海，除了皮包骨的生还者们，眼前没有任何有生命的东西。我们引用梅尔维尔的话：

"我们在死亡之谷里挣扎着对抗狂风，我们不能保证自己能够抵达捕鲸船，于是我们首先到了冬季营地的遗址。

"小屋的屋顶被掀翻，上面如今覆盖着帆和帐篷布；由旧锡水壶绑上帆布做成的烟囱被扔在一边；八英尺深的积水表明了当时他们居住在一个多么肮脏的环境里。

"遗弃的皮毛和布料衣物、空罐头盒，以及 25 人在这九个月里产生的污秽物，在这里随处可见。顺着山谷再往上走一些，我们发现了一具尸体。他的脸被拉下来的羊毛帽遮住，双手交叉在胸前，他的衣服和被子都被系在身体周围。

"再往上走是他们的夏季营地，帐篷有的被烟染黑，有的被风吹倒，或者在风中飞扬。纸张、散落的书页和破旧的布片随处可见。在营地的背后是一个半开放的围墙，那里有等待救援的幸存者们。现在，死者多于生者。

"格里利在他的睡袋里，蜷缩在自己的手和膝盖上，通过敞开的门口观察外面的情况。他的头发和胡子已经长得纠缠在了一起，他的手和脸上满是烟灰和污秽，但是他的眼睛闪耀着强烈的兴奋，因为痛苦的日子即将被至高无上的快乐生活取代。

"救援已经到来了！然而，他似乎并没意识到这一点。诺曼先生告诉他我是谁，他说，他很高兴看到'珍妮特号'上的人，因为他已经从剪报上充分了解了我们的探险活动。在他背后还躺着一个人——中士埃里森，格里利向他介绍了我，并且说他想同我握手，但他的手和脚都被冻住了。我低头一看，发现他的鼻子也不见了。

"然而，他似乎非常愉快，冷静地和我们叙述了所处的悲伤的困境，他用他残留的手臂代替手掌和我握了手。再往上走便是墓地，十具尸体被埋葬在那里，上面勉强覆盖着松散的泥土和石块。第一个坟墓做得非常好，因为克洛斯中士是第一个去世的，当时其他人还有力气去修建一个像样的坟墓。

"随后的坟墓变得越来越浅，因为队伍的体力在逐渐减弱。所有的坟墓上都覆盖着羊毛头罩和布手帕，每具遗体都被放平，并且双手都交叉放在胸前。只有一具遗体没有被掩埋，他是士兵亨利。显然，他已经被六英尺的冰冻住，并且无法复原。

"营地里一片混乱，康奈尔看起来已经没有任何生命体征。他的面部被死亡凝固了一般，他的臀部以下都被冰冻住了。三天之前他咽下了最后一口海豹皮，然后放弃了求生的欲望，选择平静地等待死亡。格林医生和埃姆斯医生都十分忙碌，他们加热水壶，将冰冻的衣服从濒死的康奈尔身上剥离下来。康奈尔全身被裹在浸过热水的毯子里，他被一点一点地喂着白兰地，但是大多数都没有进入他的喉咙，而是洒在了嘴边。直到康奈尔能够顺畅呼吸时，他才喝下了一些医生给他的白兰地。

"然而，几滴酒就足以让他清醒。康奈尔把他的头倒向一边，不耐烦地说：'让我安静地死去吧。'他不知道救援队已经来了，还以为是他活着的同伴在努力拯救他的生命。最终，康奈尔活了下来。他是那种非常有活力的人，当他被送上'西蒂斯号'之后，他说：'好吧，孩子们，这次我真的离死亡非常近，死神抓住了我的脚后跟，但是你们把我从脖子后面救了下来。'

"一些幸存者被放到担架上，然后又被转移到'西蒂斯号'上。当时，作为主要的猎手，弗雷德里克和德兰获得了更多的食物来维持他们身体的消耗。除了几磅水煮过的海豹皮，营地里没有任何食物。这样的食物分配已经进行了好几天，每个人都得到了一点儿微薄的补给。

"两个人的脸都是浮肿的，他们几乎看不见东西，感冒产生的黏液附着在他们的眼睛上，让他们几乎处于半失明的状态。他们太虚弱了，以至于连自己都无力自救。我把一个破旧的羊毛袋浸泡在温水里，来擦干净他们的眼睛，然后把他们挪动到岩石附近，以便透过岩石的缝隙看到我们的桅杆。

"指挥官施莱在一旁说：'噢，你们看见桅杆了吗？你们看到旗帜了吗？我们的桅杆有着鲜艳的颜色。'

"'请把我扶起来一点儿，'他嘶哑着声音请求道，'让我看看。'然后他看到了醒目的颜色，他激动地哭了：'万岁！我看到国旗了！现在，孩子们，我们会得到一些粥了。'他尽力提高他微弱的呼救声，而喜悦的泪水顺着他的脸颊一直流到了他的睡袋上。

"当我握着可怜的埃里森时，他说：'我猜你是"珍妮特号"的工作人员之一，可怜的德兰死了。你也一定有一段糟糕的经历。'

"这值得被我们同情。一个人的鼻子、脚、手都被冻住了，他几个月以来一直躺着，忍受着死亡带来的痛苦和恐惧。同情心确实是一种内在的高贵品质，他就是那个在莱斯警长死亡时牺牲了自己，让整个探险队前往伊莎贝拉角的人。

"6月22日后半夜，我们完成了救援任务，我们用两艘船的船舱搬运了所有的幸存者和遇难者遗体，还有一些书籍、报纸和其他遗物。随后，我们在大麻哈鱼岛躲避大风。隔天早上，我们看到船只停泊在帕耶港，当狂风平息后，队长施莱带回来了一批东西，由两家公司选出的官民特遣队检查了克莱营，又将所有收集到的东西放在一起，发现它们之中的一部分可以被看作这支探险队的探险史，它具有非常高的价值。"

死者的遗体被转移到"西蒂斯号"上，每一块覆盖的帆布上都有一个编号。随后，"西蒂斯号"准备返航。7月26日，他们到达新罕布什尔的朴次茅斯，这次救援任务已接近结束。

指挥官格里利在递交给政府的报告中表述道："我们不应该仅仅只关注他们的死亡，而应该把更多的注意力放在他们的艰苦努力、英勇和不屈的精神上。他们坚定不移的决心，使他们在整个国家的历史上显得不可替代。他们开展了国际性的科学观测，让我国国民对于极地地区的物理特性和构造的了解大大增加。不仅如此，他们也许是这个时代最成功的北极探索者，他们选择穿越极地，承受着肉体上的痛苦和微小的生存机会，他们留下的记录将最终享誉世界。他们为着这个目标而死，他们值得被我们铭记。"

第十二章　皮尔里穿越格陵兰岛

在北极圈里，许许多多的探险队走海路前往西北通道或东北通道时，纷纷遭遇了失败，这说明人们需要采用更加实际可行的方法解决航行难题。最新的探险队已经将注意力转向了格陵兰岛，他们决心彻底探索那里，让它成为人们深入探索北极的基础。

1891年6月6日，蒸汽捕鲸船"凯特号"从纽约港起航，北上参与费城科学院的远征工作，它的目的地是格陵兰岛西北海岸鲸湾，并且在那里过冬，以探查格陵兰岛向北极延展的问题。

第五探险队的指挥官是美国海军的罗伯特·E.皮尔里，他和他的妻子一同参与了这项工作，他们愿意分享彼此工作的疲劳和艰辛。16个月后，他们回到了家。

皮尔里说："在出发后60英里

罗伯特·E.皮尔里

的时候，凯恩和他的伙伴们遭遇了不可名状的困难；80 英里的时候，格里利的人一个接一个饿死；在不到 50 英里的地方，海耶斯和他的团队，以及一些"北极星号"上的船员，在海上经受了考验和磨难。而皮尔里太太舒适且安全地生活了一年。"当夫妇俩回到家时，他们家多了一个出生在极点附近的孩子。

皮尔里从格陵兰岛的一头来到了另一头，这给北极探险的历史增加了一个了不起的新篇章。

7 月 2 日，他们前往梅尔维尔湾，三周以来，他们一直被冰围困在可怕的梅尔维尔湾群。7 月 15 日，皮尔里的腿被失

在梅尔维尔湾，英国"北极星号"船首方向的美国捕鲸船"麦克莱伦号"残骸

控的车轮轧伤了，这次的事故让皮尔里暂时行动不便，然而他们用火药炸出了一条前进的路。24 日，他们到达了麦考密克湾，并准备过冬物资；30 日，"凯特号"返航。

到了 10 月 6 日，冬季开始了，麦考密克湾也开始冻结了，只有雪橇犬和雪橇可以通过那里。26 日，太阳消失了，在第二年 2 月才会重现。北极圈的冬天像往常一样，在寒冷中度过了。1892 年 4 月 18 日，他们开始向英格尔菲尔德湾进行雪橇探险。

皮尔里太太在她的《我的北极日志》中写道："冰川构造了英格尔菲尔德湾东岸的大部分，正面有十英里，它是一系列巨型冰川里最大的，并且集中了巨大的冰川能量。它的北面坐落着史密斯森山脉，它的巨大程度远远超出了向西延展的冰圈面积，恰好划出了海湾北端水域。向海湾东部走，有一座无人涉足过的冰川，我们将它命名为海尔普林冰川。"

陆地冰川旅程真正开始是在 4 月 30 日。在五月快要结束时，他们俯视了彼得曼冰川的底部——"你的眼前全是雪和坚固的冰，人眼所见过的最宏伟的圆形剧场"。他们继续向北前进，在接近海岸的山脉附近时有些迷糊，因此他们在谢拉德奥斯本冰川的粗糙裂缝中被困了很久。他们花了 14 天的时间从裂缝中回到光滑的冰表。他们向东前进，在一片荒芜的土地上走了 57 天，最终到达了一片陌生、奇异的土地。他们花了四天时间穿过那些奇形怪状的锋利石头，通过积雪，穿越奔腾的激流，最后被带到一座大约有 3500 英尺高的悬崖上——现在被称为海军悬崖。在格陵兰岛的北部海岸，还有当时没被发现的独立湾（它被发现于 7 月 4 日^①，并因此而得名）。

他们在这里逗留了几天，这里超过 600 英里的坚冰无路可走，人迹罕至，在这之后他们开始了返回的路程。落雪柔软而明亮，如果不是有滑雪橇或者挪威人的滑雪鞋，他们将陷入无助的困境。但在经过洪堡冰川后，这趟旅程就变得更顺利了。下坡有助于他们平均每天行进 30 英里。8 月 6 日，他们与皮尔里救援考察队的海尔普林教授碰面，并且在海湾的最前面的船上，皮尔里发现了一直在等他回来的妻子，她守了整整 63 天。14 日，刮起了大风，他们绕着克利夫兰角环行，在 24 日再次回到费城。

于是，这次旅程的主要成果是：确定了格陵兰岛的海岸在纬度 78°平行线（北纬 78°）上汇合，因此证明了大陆板块的封闭性（这解决了困扰地理学家们三个多世纪的问题）；发现了格陵兰岛北部的不冻大陆；划定格陵兰岛冰盖向北延伸的界限。

1893 年 7 月 8 日，皮尔里开始了从美国俄勒冈州波特兰到圣约翰的第二次旅程。在十天里，他沿着拉布拉多的海岸，穿过戴维斯海峡到荷尔斯泰因堡，再从那里到达了乌佩纳维克，在那里收留了几只狗。他们从这里继续行进，辗转来到世界最

---

① 7 月 4 日为美国的独立日。——编辑注

北边的人类居住地塔辛萨克，这个地方属于任何政府。接下来，他们在 25 个小时内穿越了梅尔维尔湾（之前的最佳纪录是 36 小时），早些时候他们穿越的纪录是三周。他们沿着海岸继续前进，直到环绕了帕里海角，最后驶入鲍登湾。

乌佩纳维克

8 月 12 日，从捕捉了 24 只海象的史密斯海峡开始起航，他们绕过亚历山大海角，行驶至一半，又越过海峡向萨宾海角前进。然而在那里，他们被流冰群阻挡了去路，流冰群向一个不间断的平原延展，一望无际。于是他们决定返回，参观了北极星之家，并带走了一些纪念品。

亨利·G.布莱恩特和一个名为皮尔里附属考察队的组织，乘坐"猎鹰号"从圣约翰出发。由于遇到很多浮冰，皮尔里救援队经历了重重困难才到达鲍登湾，并发现那里的所有成员都存活着。1894 年 3 月 6 日，皮尔里试图到达独立湾，他取道于内陆的冰盖，却因为狂风暴雨而以失败告终。救援队遭受重重磨难，有些人被严重冻伤，结果几个月卧床不起。1895 年，当"猎鹰号"准备返航时，皮尔里决定留下并尝试到达独立湾。他

海象

的黑人奴仆马修·汉森还有休·李选择和他一起留下。皮尔里夫人和她的孩子，以及其他剩下的同伴则乘船回家。

1895 年 9 月，皮尔里与他的两名同伴回到了家。这位富有活力且顽强的探险家没有完成旅程中最主要的目标——对独立湾北部的陆地进行探索。但他成功地对英格尔菲尔德湾作出了精确调查，并且还对世界地理学知识作出了很多有益的补充。

第十三章　南森远航记

诺登舍尔德的成功证明了格陵兰岛是可以直接穿越的，像南森这样的先行者是往南方走，而皮尔里则是往北方走。第一个穿越格陵兰岛的人是弗里乔夫·南森[1]，他于1888年5月从克里斯蒂安娜出发，1889年5月回到挪威。这是一趟著名的旅程，南森获得了巨大的成功。

南森从格陵兰岛回来后，又计划前往北极，这项计划得到了他的同胞的支持，并使他募集到了85000美元以上的资金。这些资金有一部分来自公共补助，一部分来自瑞典和挪威的国王奥斯卡，还有一部分来自私人捐助。1891年，他在论坛会上发表了一篇关于他前往极地的计划，这是他大胆的北极探险计划的第一个权威解释。在这篇文章中，南森说：

"这不是一次度假旅行，我们的出行不是一次寻欢作乐，我们向北极的漂流将会持续六个月，而且夜晚将会持续很长时间。

---

[1] 弗里乔夫·南森（1861年10月10日—1930年5月13日），挪威探险家、科学家、人道主义者和外交家。1922年，他因担任国际联盟高级专员贡献突出获诺贝尔和平奖。——译者注

弗里乔夫·南森

人们也许会认为去探索未知的极地地区是一件没有意义的事。当然，这也显示了某些人的无知。在这里，我们没有必要提及这些地区应该被深入地科学探索的重要性。人类种族的历史是从黑暗走向光明的持续斗争，如果停止了这种斗争，人类的生存也必然不会长久。因此，讨论知识的用途是没有用的。"

在 1892 年秋天，为了筹集他远征极地的资金，南森开始了在英国的巡回演讲。在伦敦地理学会的一次会议上，他充分地阐述了他的希望和前景。他说，只要我们将注意力集中在大自然本身提供给我们的力量，并且遵循这股力量，而不是与之对抗，我们会发现沿着洋流从西伯利亚经过格陵兰岛，最终漂往北极的特定路线，有可能不是最短的。

根据其他洋流理论，南森说，事实上这三年来，在格陵兰岛海岸西南方的朱利安娑布附近，洋流带动的浮冰上发现了很多失事船只的残骸，比如，"珍妮特号"。那些船失事后，船上的一些东西被留在了浮冰上或者浮冰周围，以及前往莱娜三角洲的路途中。

从所有这些事实中，我们完全有理由得出结论。南森说，洋流不断在北极地区、弗兰兹·约瑟夫地北部以及西伯利亚北部海和白令海峡之间环流，再汇入斯匹次卑尔根岛与格陵兰岛之间的大海中，因此浮冰总以固定的路线在两个大洋之间漂流。

在这种情况下，穿越未知区域的方式自然是带上一张"浮冰之旅"的"船票"，在新的西伯利亚岛屿附近的某个地方"上船"，借助浮冰带着我们漂过那些常人无法抵达的地方。

南森说，有两个方法可以使他达到目的。首先，改变船的结构，在结构上让船能够承受冰的压力，并且人能在上面生活；其次，在旅程中只使用一艘船，用这一艘船扎营、破冰、生活和航行。他的计划就是基于两种方法提出的。

他现在已经建造好了一艘坚固的船。这艘船虽然十分小巧，但完全能够容纳12人，并携带足够这些人使用五六年的物资。当它运载少许货物时，它的排水量是600吨。船上装有160马力的发动机，每燃烧四分之三吨的落煤，船就能以六节的速度航行24小时。在有帆的情况下，船的航行速度可能会达到8—

9节。它也许算不上一艘行进速度非常快的船，但就目前的情形来说，它至少有利于开展探险工作。因为在探险过程中，南森主要依靠洋流的流动速度和浮冰的运动变化情况带动船体前进，而并非依赖船本身的速度航行。

一艘船的性能和它破冰的能力，并不依赖于它能行驶多快，而是取决于它的蒸汽动力系统和船的形状。自然，人们都想建造一艘坚固的船，而一艘坚固的船最重要的特点就是，它一定会按照某种固有结构建造，这种结构会让它拥有巨大动力去克服庞大冰块的阻碍。

和那些普通的船一样，这艘船的两侧一定不能是垂直的，从舷墙到龙骨一定要是斜的，因此当浮冰挤压船时，那些冰不会堆积在船的两侧，而是从两边滑向船的底部。这对船驶出浮冰有非常大的好处。这艘船的船舱应该尽可能小，因为更小意味着更轻，也就意味着更加容易从浮冰之中驶出，对船舱两侧的挤压也就更小。

船体越小，其自重就越轻，也就更容易被冰块托起。小船还有一些其他优势，在满是浮冰的海面上，小船更容易掌控，也更容易找到一个安全的庇护所。船体过长成为穿越浮冰海域最大的障碍。在压力承受范围内，船应该建造得尽可能小。

这样建造船只的结果是，新船的长度和宽度不成比例。与长度相较之，它的宽度是长度的三分之一。造船时，不仅将最容易受到浮冰撞击的地方尽量做成了扁平状，同时也保证了整个船身形成饱满的圆弧形状。

船上没有尖锐的突出，每个部分都被打磨圆滑，甚至龙骨都覆盖着板材，只有三英寸暴露在冰中，并且边缘也被打磨圆滑。总的来说，南森是希望当这艘船被冰困住时，它能像一条光滑的鳗鱼一样逃出困境。

这艘船的两端很尖，整体来看，它很像挪威飞艇，或者说它像一艘苏格兰巴基船。当然，这只是因为这艘船的龙骨和尖底被去除了。底部附近的龙骨控制了整艘船，保证了船能够及时停止，以防碰冰或者翻倒。

为了防止冰损坏船头和船尾，这两个部位的外观都设计成了弧形。很多横木是倾斜的，这样当船在浮冰中时，斜的横木会更容易破冰。

船两侧的木板厚度在28—32英寸之间，并使用了坚固的松木和橡木。这使整艘船看起来就像是一个全部由坚固木头组成的物体。

这艘船会被当成一艘三桅帆船操纵。航行时，在甲板上便能轻松控制船帆，为他们提供一个舒适的屋子和居住点。这艘船的主尺寸为：龙骨长度101英尺；水位线长度113英尺；全长128英尺；水位线中梁长度，包括"冰罩"，33英尺；最长的梁，不包括"冰罩"，36英尺；型深17英尺；无货物状态吃水12英尺。包括锅炉满载的载货重约为420吨。该船的排水量为800吨，因此，这艘船具有380吨的载煤和载货能力。设备和供给品的载量不可以超过 60 吨或 70 吨，这样可以为载煤和燃料留下 300—320 吨的承载量。这些燃料足够船只全速行驶大概四个月。然而在最后一次装上煤的两个月之后，他们可能无法再使用引擎，这样大批量的燃料就可以用来冬季取暖和做饭。

为了取暖，他们还携带了石油。而除了取暖外，石油的另一个巨大优势就是可以用于照明。他们还计划通过一个装在甲板上的磨盘式发电机来获取尽可能多的电气照明。他们还携带了酒精用于做饭。1892 年 10 月 26 日，船在挪威的拉尔维克驶出，该船被命名为"弗雷姆号"，船名的意思也就是"前进"。这艘船在当时一定是北极探险中人们所使用的最强最先进的船只。此船的建造过程十分谨慎，可以十分肯定的是，除非遇到十分特殊的情况，否则这艘船绝不会被损坏。随船的是一支由 12 名训练有素的水手组成的队伍，还有可以支撑五到六年之久的供给品。船上的各个方面都是当时社会所能提供的最先进的装备。所以南森认为这次探险的前景应该非常好。

他打算在 1893 年春起航。第一个航行目的地定在新西伯利亚群岛，或者勒拿河入口处。而在考量了一些不确定性因素之后，他认为应该航往喀拉海。当到达勒拿河三角洲北部海域之后，他应该等待合适的时机再北上，沿着新西伯利亚群岛的海岸航行，尽量抵达开放水域的最北端。大概在八月或者九月前后，由勒拿河的暖水海洋引起的洋流将给人们提供巨大帮助，因为这股洋流在夏天会产生一片开阔的水域。而就在这片水域中，从芬尼特驶来的一艘船只就是在这片水域中遇险的。

当再也不能前进时，他们别无选择，只能全速向前冲，他们坚信用这种方法也能到达北极地区。浮冰很快开始挤压船体，但是这只能将船抬得更高。有一种可能性是，尽管所有的预防措施都做了，但船还是会被冰挤得粉碎。如果真的是这样，那么探险队将采取其他措施。

到那时他们将会把浮冰作为容身之处，而不是船，他们必须将所有物资转移到浮冰上，例如，煤炭、救生船。为此他们建造了两个比较大的平底救生船，它们有 29 英尺长，9 英尺宽。救生船有整个甲板那么大，甚至仅仅一艘救生船就足够全船人员生活。因此，旅程能够继续。

唯一不同的是他们会有两艘船在浮冰上，而非一艘大船。当他们到达极地地带一侧的开阔海域后，开船回家就不那么困难了，类似的情况在以前的探险中已发生过很多次。南森确信，唯一的困难是当他们到达西伯利亚北部地区时，他们还要继续向北。

不管他们是否成功，他都坚信这是一种新的尝试，因为总有一天人们会抵达未知的地区。这次旅程有可能不会穿越极点，但是也会非常接近了，南森这次旅程的主要任务是探索未知的极地，而不是精确地穿越极点和地轴。

1893 年 6 月 24 日，他从克里斯蒂娜启程前往卡拉海，之后，他希望能够通过西北向水流到达极地，他坚信地球上一定有这样一个地方存在。记录显示，他安全完成了旅程的第一部分，他的旅程预计将有三年，一直持续到 1896 年秋。

1896 年 2 月，圣彼得堡得到以下消息：

"南森博士已经到达北极！

"他发现那里的土地，并在地轴上插下了挪威国旗！他现在正乘坐'弗拉姆号'回到'克里斯蒂娜'，那艘船从 1893 年 6 月 24 日开启了它的探索之旅！"

这条消息受到北极当局的质疑。

直至 1896 年 8 月 14 日，人们才收到航程确切的信息，那时，南森和他的同伴达到了法兰士约瑟夫地。

这是南森先生的故事。直到他离开费雷恩时：

"'弗拉姆号'在 1893 年 8 月 4 日离开了尤格海峡，我们不得不强行穿过西伯利亚海岸满是冰块的海域。我们发现了一座卡拉海上的岛屿，也发现沿切柳斯金角岛的海岸有众多的岛屿。在一些地方，我们发现了此处曾经历过冰川时期的证据，在冰川时期，西伯利亚北部大陆一定覆盖着大面积的冰。

"9 月 15 日，我们离开了奥列尼奥克河的入海口，现在去找回我们的狗也许已经晚了，因为我们不能冒险再多花一年时间。在 9 月 22 日我们通过了新西伯利亚群岛。在北纬 78°50′，东经 133°37′ 的地方，遇到浮冰，船被冰封锁。

"正如预期的那样，在秋冬季节向北方和西北方向前进时，我们遭遇到冰的威胁越来越多，但它（'弗拉姆号'）超出了我们的预期，表现出极佳的性能。

"温度迅速下降，而且整个冬天都很低，几乎没有变化。一连几周，连水花都被冻结，最低温度为 –62℃。但是船上的每一个人在这趟旅程中都特别健康。

"风车产生的电能达到了我们的预期。船上的人们和睦相处，我们度过了愉快的时光。每个人都带着愉悦的心情完成着自己的任务，这样友善的船员可遇不可求。

"在北纬 79° 的地方，海水的深度忽然增加了，从以南的 90 英寻①忽然增加到 1600—1900 英寻。这样的海洋地貌必然推翻了所有以浅极地盆地为基础的理论。

"海底非常缺乏有机物质。整个漂流过程中我们有很好的机会，我进行了一系列科学观测，包括气象、天文、生物、磁性、探测、深海温度和海水的盐度检测等。

"在寒冷的覆盖着冰水的极地盆地表面，我很快发现了更温暖也更咸的海水。由于墨西哥湾暖流，这里海水的温度高达 31℃—33℃。

"除了各个方向的狭窄裂缝，我们没有看到任何陆地，也没有看到任何开阔的水域。正如所预期的，我们的西北漂流在冬

① 英寻是英美海洋测量中的长度单位。1 英寻 = 2 码 = 6 英尺 = 1.8288 米。——译者注

季和春季最为迅速；而在夏季，偏北风让我们停止向前，甚至有时会让我们倒退。

"1894 年 6 月 18 日，我们在北纬 81°52′，但那时我们只能向南漂流。10 月 21 日，我们通过北纬 82°，在 1894 年圣诞节前夕，我们停在了北纬 83°。

"几天后，我们到达了前人到过的最北的地方北纬 83°24′。

"1 月 4 日和 5 日，'弗拉姆号'经受了我们所经历的最剧烈的冰压。然后它被牢牢地冻在三十多英尺厚的冰中。这些冰压住了左舷，似乎在威胁着我们，如果不把船砸坏，那就让船沉入海底吧。

"必要的补给、帆布小艇和其他物资已经被安全地放在冰上。如果有必要的话，每个人都做好了离开船、生活在浮冰上并且继续漂流的准备，但'弗拉姆号'没有辜负我们对它的信任，它甚至变得更强。

"当压力升至最高，冰堆积在高高的壁垒，'弗拉姆号'有了松动，并且慢慢抬起了它那被冻结的甲板，但是在船的任何一个地方都没有发现一丝裂缝。

"在那次经历之后，我认为'弗拉姆号'对于承受来自冰的压力具有相等的抵抗力。后来，再也没有经历过那种情况，我们继续向北方和西北方迅速漂移。

"按照我的预期，'弗拉姆号'将很快到达能到达的最远方，即法兰士约瑟夫的最北处。以它的航行力来看，此次穿越未知极地盆地的探险工作不会功亏一篑。为了探索更北的航线，我决定离开'弗拉姆号'。

"汉森上尉自愿加入我的队伍当中，我相信我不会再找到在各方面都更好的伙伴了。'弗拉姆号'的科考领导权被我交给了斯维德鲁普船长。

"我相信他有领导能力，也有克服困难的毅力，只是担心他能否带着所有人顺利返回。当然，最坏的情况是'弗拉姆号'沉没，但这是不可能发生的。3月3日，我们达到了北纬84°4′。汉森和我在1895年3月14日离开'弗拉姆号'，当时我们所处的位置在北纬83°59′和东经102°27′。"

"弗拉姆号"出航探险的结果，证明了南森的信心是有依据的。

地图上显示了南森的船只和雪橇曾经过的大概轨迹，并且告诉了我们整个旅程。

从我的标记来看，在西南角方向，"弗拉姆号"通过尤格海峡，并于1893年8月4日到达北冰洋的卡拉海。

在夏季，船舶是有可能通过尤格海峡的，但卡拉海有时会被冰封。1881年，正是在这里，荷兰极地探险队损失了他们的船，然后永远没有到达目的地——西伯利亚。事实上，当南森离开那里之后，有些新闻说他仍旧在卡拉海，这导致一些人想知道他究竟有没有通过那个危险的水域。

但是他真的通过了，并像1878年诺登舍尔德指挥的"织女星号"一样迅速向东行驶，都在8月到达了亚洲最北点切柳斯金角。然后南森转身向南方的标记点2进发。

他向奥列尼奥克河的入海口驶去，沿途他购买了许多只狗。一场暴风雨阻止了他靠岸让狗上船。关于他为什么不在奥列尼奥克河口靠岸仍旧是一个谜，这让他的朋友们很是焦虑。

很多人都认为南森不可能到达新西伯利亚群岛，他希望在新西伯利亚群岛能找到向北的洋流，因此，他的计划在一开始就受到了挫败，那么他最终就有可能退到切柳斯金海角的西面。

然而，他一直按照他的计划进行着旅程，但他没有得到他想要的所有的狗。从奥列尼奥克河口附近，他准备前往新西伯利亚群岛，在他标记点3向西边一点点的地方，他的船又被冻住了。他向西北漂流的旅程即从那里开始了。

在他标记的第4个点，海的深度从90英寻增加到1600英寻，他还发现有的地方甚至达到了1900英寻。这是一个惊人的发现，因为人们长久以来都相信北冰洋是个非常浅的海洋。

5号点标注出了南森和他的同伴离开"弗拉姆号"的地方。到现在为止，"弗拉姆号"已经从3号点附近漂流到了5号点。漂移路线在地图上被标了出来，但这种漂移不是在一条直线上。

有时，如果北风持续刮着，那么"弗拉姆号"会向南漂移。所有可以显示在地图上的是漂移的平均方向。"弗拉姆号"

花了 1 年 5 个月 22 天，漂流了 470 英里的直线距离，从 3 号点到了 5 号点。盛行风①帮助了"弗拉姆号"，而不是极地磁极，但"弗拉姆号"确实是在北法兰士约瑟夫地和斯匹次卑尔根岛的方向上。

虚线是为了显示南森在丘状海冰上的雪橇旅程，他们首先向北极点方向进发，然后直接迂回到西南，在那里安全到达陆地。

他花了 25 天从"弗拉姆号"前往旅程的最北点，距离约 145 英里。他们两名男子，穿着毛织服装，带着两支犬队，到达了距北极约 250 英里的地方。

这张地图不能非常准确地表示南森从 6 号点到法兰士约瑟夫地的雪橇路线，即使它已经画得非常接近。部分原因是因为南森在路途中并没有进行经度的测量，还有一部分是因为我们还没有那个国家的准确地图，仅有帕耶的国家地图。如果群岛的划分和岛屿地理位置都由杰克逊和南森来决定，那会非常不准确。

但在这个示意图里最北的点是 7 号点，大概是南森登上了法兰士约瑟夫地，并在那里度过了冬天。

---

① 盛行风又称最多风向，是指在一个地区某一时段内出现频数最多的风或风向。通常按日、月、季和年的时段，用统计方法求出相应时段的盛行风向。
——译者注

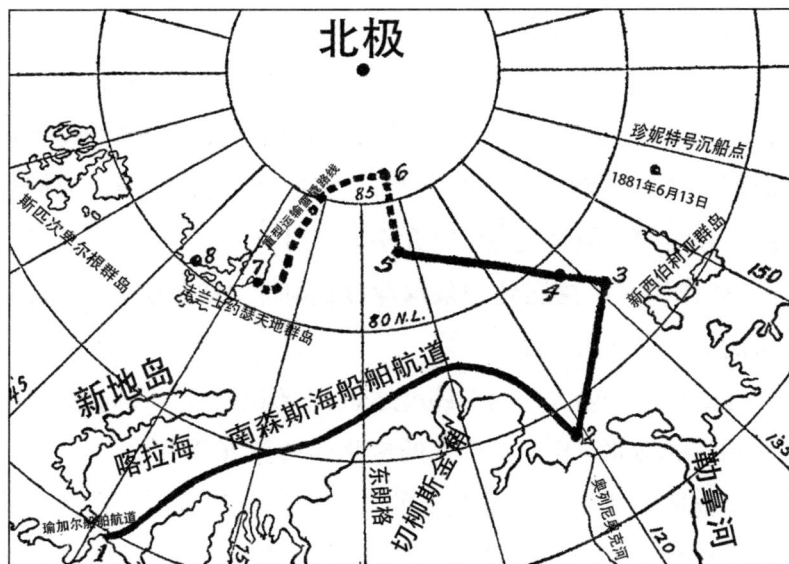

南森北极航行地图

6 号点之后的虚线，仅仅表明了南森从最北端到陆地行进路线的总体方向。

1894 年春天，他开始南下，打算从法兰士约瑟夫的南部海岸出发去往斯匹次卑尔根岛。他很确定，这个季节他会在路上碰到一艘或者几艘船。

在路上，他见到了在 8 号点过冬的杰克逊，这让他非常欣慰。杰克逊刚刚补给了自己的船，他和这个无畏的探险家一起回到欧洲。

当南森离开"弗拉姆号"时，这艘船似乎正在缓慢地向斯匹次卑尔根岛漂移。1896 年 8 月 20 日，"弗拉姆号"安全到达位于斯尔沃于^①的北角。

7月10日，最后一艘船以自己的方式通过了偏南方向的冰面，并于8月13日到达了开阔水域。当船行驶到最高纬度地带的时候，人们接触到了一些鸟类，比如，海鸥和海燕，他们也看到了独角鲸，但是其他生物几乎无迹可寻。

"弗拉姆号"探测到的最深深度达到了2185英寻。航行中记录的最低温度为 –52℃。

在南森离开船大约两个纬度之后，"弗拉姆号"又向北漂移，它所到达的最北点离南森到达的最北点只有20英里。

南森的航程否认了他北上的那套理论。他承认，在他出发之前，格里利、内尔斯和其他人告诉他浮冰主要由风吹动。德朗发现，由于盛行风，冰块主要向西北漂流，因为风向主要是东南方向。

这完全符合南森的经验。"弗拉姆号"被冻在冰里之后，南森直接向新西伯利亚群岛的西面出发，在他离开"弗拉姆号"之后，船又漂了1年5个月22天。在这段时间里，"弗拉姆号"从那里开始向西北漂了470英里，距离北极点大约340英里。"弗拉姆号"本该能够到达更北的地方，但是由于刮了数周的北风，一些浮冰南下阻挡了它的路。

在南森写的长信里并没有提到他之前一直强调的北漂理论，

---

① 斯尔沃于是挪威的一个自治区，位于特罗姆斯郡。——译者注

但他反复说他发现冰随盛行风运动的规律。

他取得的成果并非不重要，然而他的理论却没有在科学测试中站住脚。但毫无疑问的是，就其科学和地理方面来说，南森的旅程会是最成功的北极探索。他探索了北冰洋西部，德朗探索了北冰洋东部，他们取得的成果使得北极探险进入了一个新时代。

南森有了一个让海洋学家惊喜的发现。以前的探测表明北冰洋是一个比较浅的海，最深处是在斯匹次卑尔根岛和巴伦支海，那里仅有 100—200 英寻。虽然大多数的测深结果都表明那里有一个较高的海底高原和一些小洼地，但是在东格陵兰海还是发现了超过一英里海深的地方。我们对大陆北部的地区探测相对较少，但结果显示我们所知的浅海与真正的北冰洋相去甚远。

南森似乎已经发现了北纬 79° 以北更深的海洋，有 1600—1900 英寻，他的发现推翻了一些基于浅海概念的海洋物理学理论。他和他的科学观察员们进行着各种各样的研究，南森说，在这些探索中他可能会继续取得成就，他自己也会很乐意接受这些新发现和新理论。

南森带领的这支探险队伍在经历了数月冰的包围和艰难、单调的生活后，依旧有着坚强的意志力。毫无疑问，南森的威望来自成功发电，并用电光照亮了北极的夜晚。他靠风车发电来运行自己的发电机；如果风不能发电时，他就用手摇发电。他把热和光作为疾病的最佳预防方式，他说，他的电光满足了他的所有期望。

第十四章　去往北极的气球之旅

经过近两年的准备，著名的瑞典探险家 M.安德里，开始准备乘坐气球前往北极的旅程。如果一切顺利的话，他和两个同伴，可能会于 1895 年某个时间开始他们的长途旅行。在所有探险队探索北极的方式中，安德里的方法似乎是最切实可行的，这个活动有不少支持他的人担保，他们声称，北极探险的各类问题已经得到解决了。在所有支持者当中，最重要的一位是瑞典国王奥斯卡，他为远征贡献了 30000 美元的费用。他在这个超过百人的支持者名单中名列榜首，此外，名单中还有不少名人。

这一旅程将在瑞典皇家科学院的支持下进行，并且起点设在了瑞典北部海岸，因为那里的设施是最好的。

作为一个经验丰富的土木工程师和杰出的飞行家，安德里在科学界广为人知。多年来，他参与的飞行任务都十分安全。1895 年 11 月，他乘坐名叫斯维的气球，从瑞典西海岸的哥德堡去往了哥特兰岛的波罗的海。不到五个小时，他就飞行了 250 多公里。虽然他作为一个科考飞行者在欧洲有很高的声誉，但他毕竟不是一个狂热分子，而是一个有行动力的、冷静的科学

M. 安德里

家，除了他那趟著名的旅程之外，他还做了很多实验。

　　他也是一个很棒的船夫，因为他在这方面表现出超群的造诣。他已经在他的气球上增加了许多新的设备，并且有很好的管理设备和升起气球的方法。其他科学家表示，他的方法要大大优于佩里的方法，因为新的设备在安德里不能控制住危险情况时能作出更快的反应。

　　此行的目的是降落在北极点，确定周围的温度和条件，并且拍摄照片。为了完成这个任务，安德里会带上 20 台照相机和其他仪器，他们将在整个旅途中不断地连续操作一个复杂的摄影装备，平均一分钟拍一张照片。

这些照片将被拍成两套。其中一组相片将在气球上拍摄完成，这样在发生意外事故时胶卷负片可以卷成小包装保存，而另一组将在旅程结束时，用底片保存。这些图片将用于学校地理教材的编制，所以必须尽可能完整。

气球旅行本身是一件美妙的事情，并且这个气球上包含了所有现代航空科学已经取得的成就。这气球由世界上最伟大的气球构造专家 L. 加布里埃尔·约恩建造，它非常大，直径达72.6英尺。在开始工作前，他仔细研究安德里的计划，并认为它是完全可行的。他在气球的尺寸和结构方面提出了不少建议，认为它如果不补气的话可以连续飘浮30天。他也赞同由知名航空学家格雷厄姆、高法德和保森利勒斯计算出的气体流失量。

气球是由上等丝球囊材料构成，这些材料紧紧地编织在一起。虽然仅有少量气体会从气球里逸出，而且在北极地区也有氢气。但是气球在旅行中仍需要1700个气瓶的气体来填充，这是多么高的比例啊。

飞艇最大的特点是，它用一个舵或帆来引导航行。在此之前的气球发动机已经不再使用了，所以他们的航行不会影响到地面的居民。这个功能是安德里亲自发明利用的，在实际操作中运行情况相当完美。飞艇上装了一个大帆，像船帆一样，容易膨胀并且由一根绳索控制，可以固定很多绳子和钩的顶部。当安德里张开帆并且拉紧北面的引导绳，气球就会立刻朝北面偏；当他把绳子拉回到中间时，气球就会往南方偏。换句话说，绳索引导了帆，帆引导了气球。

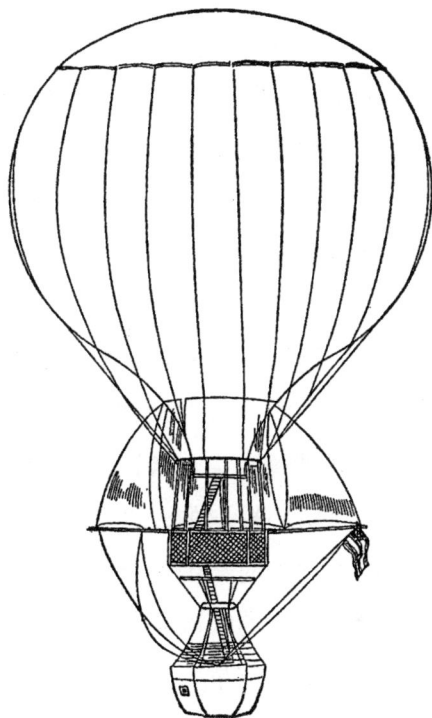

安德里的热气球示意图

　　除此之外，安德里还准备了一批能够碰到地面或海面的绳子，除了用于引导方向，这些绳索也能保证他们飞行在陆地或是海面上的高度是一样的。他们将减速到每小时 20 英里，这是安德里口中的气球飞行的安全速度。这些绳的一端牵引着非常难拉的椰子纤维编成的篮子，并且会把气球降到合适的速度，也会把气球固定在 850 英尺的高度，因为他们不敢到更高的地方去拍摄照片了。

还有其他新装置，比如，可以在紧急情况下操作的逃生口，也有一些仪器可以指示他们的速度和记录距离。

这次探险中最重要的船舱是双层结构的，并且每层都有露台。它被分成四个隔间，上下层各两个。下层是一间厨房和卧室，而楼上的是一个组合储藏室和冲洗照片的暗房，以及有着普通相机的工作间。

在厨房里有三个酒精炉，它们被紧紧保护着，并能为烹饪提供所需热量。房间的一侧设有书架和柜子，那里储存了一层又一层可以加热的肉馅饼和罐头。肉馅饼是用最有营养的肉做成的，为了这次探险而精心提取的，这些食物的储量足够四个月的用量，以便在发生灾难时，他们有足够的食物。炉子有一个专属附件，可以在不燃烧的情况下保持温度，食品则可以一直放在温暖的火炉上而不会有危险，因为你可能没有时间一直盯着火炉。事实上，尽管对这次旅行并没有太多恐惧，但是储藏室有充足的兴奋剂和一切在北极越冬需要带的东西。因此在采购食品时，充分考虑到了探险家可能会遇到的各种危险。

这支队伍里将会有三个人同时执行不同的任务：一个将持续在甲板上巡逻，驾驶气球和照看饭菜；另一个将继续拍摄照片；而第三个则会休息。他们每四个小时将轮换一次，因为体力将在进入极地之后消耗得非常快，身体会需要更多的休息和营养物质。

螺旋楼梯通向楼上，一直到暗房。在暗房里，拍摄的照片将会马上被冲洗出来，那里也储存着几百张他们拍好的照片。房间里也安设了洗片室所需的设备，一个房间的墙壁上有一个架子，上面有一瓶酸和化学制品。

有一扇小门通往放相机的地方，那里除了放相机外，还放着很多科学仪器。在前壁上安装着一个巨大的摄像头，镜头指向端口孔，因此布置的仪器可以迅速集中在任何方向。为了能够快速观察到外面，许多其他的孔被布置在墙壁周围，并且每三个面就安装了一台望远镜。

当一张照片被拍下，它们会被放在一个沿墙安装的槽中，然后滑向暗房，等待冲洗。

关于这个飞艇有一个奇怪的事情是，它没有灯具或者其他照明设备，安德里解释说："我们不需要什么照明，因为我们将一直在白昼中。你知道，北极是午夜太阳的土地，在整趟旅程中我们将不会经历一秒黑暗。

"我们此行的另一个巨大优势是，我们在天上的飞行几乎是完美的，不冷，也不会下雨。

"气球在北极地区也有一定优势，由于地上没有植被，所以沿途将会没有任何阻碍。还有另一个优势，这个非常重要，那就是没有雷暴。在地球的那一部分，没有闪电和雷声的记录。研究显示，一场大雪可能会破坏掉气球，但在这一点上我们不用担心，因为我们可以很容易就拉出帆继续航行。

"欧洲一位气象学家尼尔斯·伊克斯霍尔姆博士，和一个在1882年瑞典北极探险队的成员说，他唯一担心的是当我们到达极点时，可能会碰到一个优美的、平静的海面。但是按照学术界的共识，极地地区中心的海水通常是被风吹向外流的。

"至于我们花了多长时间到达北极呢，我们计算可能还需要两天两夜的平稳飞行就能到达目的地了。我们将直接前往斯匹次卑尔根岛然后到达白令海峡，飞行的总距离为2295英里。我们计算总共会需要不到六天的时间，这加起来还不到气球需要重新充气限度（30天）的五分之一。从斯匹次卑尔根岛到极点的距离大约为700英里，并有良好的南风，我们应该会准时到达。当我们到达那里时，指南针会给我们以指示。

"我们在极点周围徘徊，并尽量多拍照片。我们将立即向西，朝美国方向航行，因为比起瑞典，我们在那里更接近美国。

"我们可能会在美国着陆，但具体会在哪里，这很难说。这一切取决于大气环流。我不担心会出现什么麻烦事，但是，一旦发生了什么麻烦事，那可能意味着死亡。

"如果一切顺利，我们将能在几小时后看到其他探险队需要几个月才能到达的北极点和北冰洋地区。而且，我们可以带回这个地方的新照片，仅此一项就足够支付这趟旅行的所有费用，更不用说它们在科学研究上的贡献了。"

1896 年 5 月 16 日，巨大的气球被放在巴黎的战神广场展出，它直径 220 英尺，高 80 英尺，但是它从顶部一直到底部的船舱加起来的高度超过了 120 英尺。它可以持续供应三个探险家在外探险三年。它可以装载 1000 加仑水。这个飞艇将在 7 月 10 日和 20 日之间的一个时间择机起航。

涂了油的丝织品被称为"衬裙"，它将在旅途中使用，以防止雨水和冰雪堆积在气球的顶部。在必要时，可以猛烈摇动附在"衬裙"上的绳子。

当安德里成功地从北冰洋安全回来时，斯堪的纳维亚岛上的人几乎都在分享他的喜悦。他的气船满载着同胞们对他的巨大期望。他所需要的资金中的任何一笔在他出发前往斯匹次卑尔根岛前就筹集好了。南森博士是安德里最好的朋友之一，他说，他认为总有一天人们将会乘着气球飞到北极点。

全世界都希望安德里能顺利完成他的旅程，但是除了安德里自己，恐怕没有人知道最终结果将会是怎样。和南森相比，我们没有更多的关于这个地区的风海流①的知识，我们只希望安德里的飞艇能像南森所说的那样向北飞去。在空中，一个小小的失误都可能造成严重的后果。还有一个关键问题，安德里只能检测 0℃以上的空气。也许他根本没有越过北极点，也没有

---

① 风海流是在风的作用下形成的风对海水的应力。它是一种主要的洋流形式，盛行风吹拂海面，推动海水随风漂流，使上层海水带动下层海水流动，形成大规模的洋流。——编辑注

安德里的热气球工作间

透过浓雾看到一点儿被冰覆盖的陆地。当佩里在 8000 英尺厚的冰盖上穿行时，雪杖通常会在几分钟之内被一层薄薄的冰晶覆盖。如果气球的外面覆盖着一层巨大的布，那它不是影响了气球的浮力吗？这些列举出来的问题单靠实际经验就可以回答。

无论这些坚韧的探险家进行的探险活动能否成功，全世界都应当不遗余力地鼓励他们，给予支持，施予他们因航海事务和探险活动应有的荣誉。

我们可以肯定的是，这些勇敢的探险家们，凭着勇气、学识、热情和信仰，一定会取得巨大的成功。

译后记

　　初阅《冰海惊魂：北极探险故事》犹如翻阅一本极地地理杂志，领略北极圈极寒环境，趣味无穷，但待翻译工作几近尾声时，又不禁有了别样感触，多了几分对探险事业的敬畏。数百年前，探险经验不足、探险技术尚不发达，探险家们凭借着坚毅不屈的精神，探索北极大陆，与大自然对抗，为后人开启通往极地的航线，记录极地世界的珍贵资料。这本书涵盖了地理、航海、人文、动植物、自然景观以及探险等多领域的知识。可以说，当时的探险家和船长们都是有闻必录，且记录翔实。在译者今天看来，这本书更像是一部富有传奇色彩的教科书式探险纪录片。

　　正如作者在开篇所说："每一次航行都扫走了一些阴暗的迷信，揭开了一些新的现象，并给人类带来了知识的进步。"的确如此，每次航行都记录下新的版图，证明科学理论，开辟新行线，促进人类发展进程。在本书的最后一个篇章，读者也能够领略到瑞典探险家筹划的热气球北极探险旅程。在这次探险中，探险家用相机拍摄下了实景照片，用于学校地理教材。

　　诚然，很多人一听到北极探险便热血澎湃，心驰神往，但谁又曾细思探险家远征时将要面对的险境，寒冷、饥饿、疲劳、迷航，甚至死亡……这才是北极探险最真实的一面。作者将最值得关注的探险事迹逐一撰写整理，全篇大部分内容以时间先后顺序讲述了北极探险过程，使读者能够清晰地知晓这段历史。此外，作者也借探险日记道出了探险家们踏上旅程时的雄心万丈，描绘探险过程的所见所闻，队员们又是如何在极端气候中绝处逢生，同时也毫不避讳地如实描述了他们在濒死状态时的绝望和惨况。

　　探险日记是探险家的灵魂，是探险先驱者记录所见所闻所感的载体。因此，本译本同样遵循作者严谨、尊重实情的记录方式，翻译北极航海事迹，不仅对原文中写到的众多优秀航海探险家以及船号做了详细查阅，还反复核对了当时探险的考察记录，诸如，航海术语、地理新发现以及航道所及之处的地名等。在翻译过程中，我循着作者执笔轨迹，一步步驱入北极世界，将探险家们完成"世界留给我们唯一未完成的大事"的过程一点点呈现出来。

世界名著好享读（原版插画典藏版）

作品目录